本試験型

’25年版

漢字検定
試験問題集

2級

成美堂出版

目次

イラスト●酒井由香里

「2級」試験問題・最新の傾向

受検者数と合格率

2023年度の漢字能力検定試験の志願者数は約141万5千人になりました。そのうちの約11万2千人が「2級」を受検しています。「2級」はすべての常用漢字が試験範囲となるため、多くの人が目標とする級ではありますが、合格率は3割弱と、かなりの難関です。試験当日に問題の解き方がわからなくて慌てないよう、漢字の勉強はもちろん、どのような問題が出題されるのかを知り、しっかり対策をねっておくことが大切です。

最新のテスト傾向

平成29年改訂の小学校学習指導要領が2020年度から全面実施されたことに伴い、漢字検定でも一部の漢字の配当級が変更され、「茨」「媛」「岡」「熊」「埼」「鹿」「栃」「奈」「梨」「阪」「阜」が2級配当漢字から外れ、7級配当漢字になりました。ただし、「2級」はすべての常用漢字が試験範囲となるため、学習する漢字の総数は今までと変更はありません。すべての常用漢字をしっかりと覚えるようにしましょう。

2級の出題内容

常用漢字のすべて

平成22年度11月30日付で常用漢字が2136字に増えました。2級では、そのすべてが対象漢字となり、高校卒業、大学、一般程度のレベルです。

常用漢字表の改定によって新たに加わった常用漢字185字はすべて2級配当漢字となり、それまで共通だった2級・準2級配当漢字は準2級単独の配当漢字になりました。

2級試験では、2級配当漢字だけでなく、準2級配当漢字からも多くの漢字が出題されています。

2級・準2級配当漢字が重要

最初にも書きましたが、常用漢字のすべてが「読み」と「書き」の問題に出題されます。特に重要なのは「2級配当漢字」ですが、「準2級配当漢字」(328字)を使った問題も多く出題されています。

また、2級配当漢字には、例えば「叱る」という漢字のように、一見簡単なようで意外に書けないものもあります。しっかりと確認しておきましょう(P.128に「2級配当漢字表」を収録)。

読み・書き・部首

2級の出題領域は、おおまかにいって、「読み」「書き」「部首」の三つに分類できます。これらをもう少し細かくすると、次のようになります。表の下段の「読み・書き」とは、領域としては「読み」も「書き」も含まれるという意味です。

出題内容	領域
①短文中の漢字の読み	読み
②部首	部首
③熟語の構成	読み
④四字熟語	読み・書き
⑤対義語・類義語	読み・書き
⑥同音・同訓異字	読み・書き
⑦誤字訂正	読み・書き
⑧漢字と送りがな	読み・書き
⑨短文中の書き取り	書き

高校で習う読みに注意

小学校や中学校で習う漢字のなかに、高等学校で初めて習う読みがあります(「桜」を「オウ」、「行」を「アン」と読むなど)。これらは2級の「読み」の領域で出題率が高くなりますので注意を要します(P.146～148参照)。

また、「部首」の問題も、2級と準2級配当漢字から多く出題されています。「書き」の領域では、常用漢字のすべてから出題されますが、問題箇所の「2級・準2級配当漢字」が読めなくては答えが書けないという出題傾向が多く見られます。

このように2級では、領域を問わず「2級・準2級配当漢字」が重要な位置を占めています。このことをよく心得て学習しておくことが肝要です。

級別出題内容（一例）

「―」は出題されません
9・10級は省略

<table>
<tr><th>内容／級</th><th>短文中の漢字の読み</th><th>筆順・画数</th><th>漢字識別</th><th>部首・部首名</th><th>熟語の構成</th><th>漢字と送りがな</th><th>対義語類義語</th><th>三・四字熟語</th><th>同音・同訓異字</th><th>誤字訂正</th><th>短文中の書き取り</th><th>漢字数</th></tr>
<tr><td>8級</td><td rowspan="7">短文中の漢字の読み</td><td rowspan="4">筆順・画数</td><td>―</td><td rowspan="2">同じ部首の漢字</td><td>―</td><td rowspan="2">送りがな</td><td rowspan="2">対義語</td><td>―</td><td rowspan="2">音訓判断</td><td>―</td><td rowspan="7">短文中の書き取り</td><td>四四〇字</td></tr>
<tr><td>7級</td><td rowspan="3">漢字えらび</td><td>―</td><td>二字熟語</td><td>―</td><td>六四二字</td></tr>
<tr><td>6級</td><td rowspan="3">部首・部首名</td><td rowspan="5">熟語の構成</td><td rowspan="5">漢字と送りがな</td><td rowspan="5">対義語・類義語</td><td>三字熟語</td><td rowspan="5">同音・同訓異字</td><td>―</td><td>八三五字</td></tr>
<tr><td>5級</td><td>四字の熟語</td><td>―</td><td>一、〇二六字</td></tr>
<tr><td>4級</td><td>―</td><td rowspan="2">漢字識別</td><td rowspan="3">四字熟語</td><td rowspan="3">誤字訂正</td><td>一、三三九字</td></tr>
<tr><td>3級</td><td>―</td><td rowspan="2">部首</td><td>一、六二三字</td></tr>
<tr><td>準2級</td><td>―</td><td>―</td><td>一、九五一字</td></tr>
<tr><td>2級</td><td>短文中の漢字の読み</td><td>―</td><td>―</td><td>部首</td><td>熟語の構成</td><td>漢字と送りがな</td><td>対義語類義語</td><td>四字熟語</td><td>同音・同訓異字</td><td>誤字訂正</td><td>短文中の書き取り</td><td>二、一三六字</td></tr>
</table>

<table>
<tr><td>準1級</td><td rowspan="2">読み</td><td rowspan="2">書き取り</td><td rowspan="2">熟字訓当て字</td><td rowspan="2">熟語の読み一字訓読み</td><td rowspan="2">国字</td><td rowspan="2">誤字訂正</td><td rowspan="2">同音・同訓異字</td><td rowspan="2">四字熟語</td><td rowspan="2">対義語類義語</td><td rowspan="2">故事ことわざ</td><td rowspan="2">文章題（書き・読み）</td><td>約三、〇〇〇字</td></tr>
<tr><td>1級</td><td>約六、〇〇〇字</td></tr>
</table>

本書は出題が予想される形式で構成しています。実際の試験は、日本漢字能力検定協会の審査基準の変更の有無にかかわらず、出題形式や問題数が変更されることもあります。

2級の採点基準

筆画を正確に

解答の漢字は、筆画（点や画）を正しく、明確に書かなくてはいけません。くずした字体や、乱雑な書き方は採点の対象外となります。

一画一画、はね、とめる、離す、続けるなども正確に書きましょう。

教科書体が基準

字体としては、小学校の教科書に使用されている文字の字体が理想的です（本書の解答は教科書体を使用）。

２級では、原則として常用漢字の旧字体、常用漢字表にない漢字などは正答と認められません。

教科書体　逸　芝　衷

明《みん》朝《ちょう》体《たい》　逸　芝　衷

筆画を正しく

宛（はねる）　岬（とめる）　叔（はらう）　匂（続けない）　浦（点つき）

ただし、例外として「漢検」で正答と認められる字体（許容字体）がありますが（例：葛と葛、喩と喩など）。どちらも正解になりますが、P.128の２級配当漢字表で違いを確認しておくとよいでしょう。

こんな字はバツ

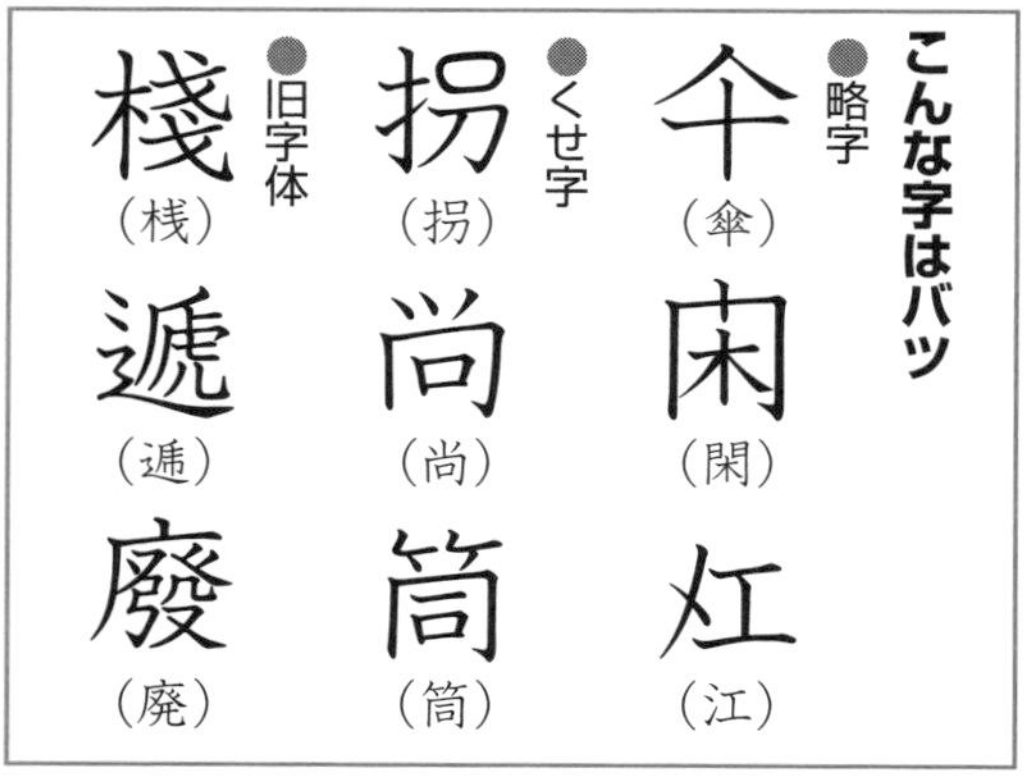

略字やくせ字も、漢字検定ではバツなので、十分に注意しましょう。

その他の採点基準

音訓　音読み・訓読みは、常用漢字音訓表が採点の基準になっています。２級では、常用漢字表以外の読みは正答と認められません。

送りがな　「送り仮名の付け方」（内閣告示）によります。

筆順　筆順は、「筆順指導の手びき」が基準になっています。

部首　部首は、参考書によって多少異なりますが、「漢検要覧２～10級対応 改訂版」（日本漢字能力検定協会発行）で示しているものを正解としています（P.128～143に掲載）。

合格基準　二〇〇点満点で、八割の正解が合格点の目安となっています。一六〇点以上取れば合格です。

解答用紙　本試験での解答は、問題文とは別の解答用紙に記入します。２級の解答は記述式が多く、マークシート方式もあります。

2級の実施要項

だれでも受検できる

受検資格　小学校、中学校、高等学校、専門学校などの児童、生徒から大学生、社会人まで、だれでも受検できます。

申込方法　個人で受検する場合は日本漢字能力検定協会のホームページから申し込みを行います。

受検方法　個人受検には①「公開会場」での受検、②「漢検CBT」、③「漢検オンライン（個人受検）」の三種類があります。以降では①「公開会場」での受検を説明します。

検定料　検定料は変わることがあるので、漢字検定の広告や問合せ先のホームページなどを見てください。

申込期間　検定日の約二か月前から約一か月前まで。

申込後の変更　申込締切日までは、「マイページ」上で「住所」、「電話番号」、「受検地」の変更および、「検定料が同じ級」への変更、申込キャンセルが可能です。「検定料が異なる級」への変更は、元の受検級のキャンセル後に再申し込みが必要です。

全国で、定期的に実施

検定日　定期的に実施しています。検定協会に問い合わせてください。

検定会場　全国主要都市。申込時に選択できる受検地から自分の希望する場所を選択します。

検定時間　六〇分。開始時間の異なる級を選べば、二つ以上の級を受検することができます。

合否の発表　検定日から所定の日数後、合格者には合格証書、合格証明書、検定結果通知などが、また不合格者には検定結果通知が郵送されます。

問合せ先　公益財団法人日本漢字能力検定協会（本部：〒605−0074京都市東山区祇園町南側551番地）ホームページにある「よくある質問」を読んで該当する質問がみつからなければメールフォームでお問合せください。電話でのお問合せ窓口は〇一二〇−五〇九−三一五（無料）です。

検定日の注意事項

①受検票を忘れず持参しましょう。受検中、受検票を机の上におかなくてはなりません。

②検定会場へ自動車やバイクで行くのを禁止している会場が多いので事前に確認しましょう。

③HBかBの鉛筆、または濃いシャープペンシルを持参しましょう。鉛筆は二本、また鉛筆がけずれる簡単なものと消しゴムを用意すると安心です。ボールペン、万年筆などの使用は認められません。

④検定開始の一五分前に検定会場に入るので、遅れないようにしましょう。

⑤検定中は携帯電話の電源を必ずOFFにしておきます。

⑥検定が終わると、後日全員に標準解答が郵送されます。自分が書いた答えを覚えているうちに標準解答で自己採点をしましょう。

⑦検定が終わっても受検票は捨てないで、合否通知が届くまで大切に保存しましょう。

※本書の情報は2024年10月現在のものです。

覚えておきたい!

漢字の読み

解説

読みの問題は、主に二字の熟語として出題されます。片仮名表記は音読み、平仮名表記は訓読みです。これらの熟語をただ暗記するのではなく、それがどのような文脈の中で使われるのか、意味と共に覚えましょう。

また、この中には「行脚」「格子」「最期」「手綱」「納屋」など常用漢字の特別な読みの用例とされているものが含まれています。学習していなければ読めないため、特に注意が必要です。

- 行脚 アンギャ
- 安泰 アンタイ

- 安寧 アンネイ
- 委譲 イジョウ
- 一矢 イッシ
- 因循 インジュン
- 初陣 ういジン
- 産毛 うぶげ
- 会釈 エシャク
- 押印 オウイン
- 殴打 オウダ
- 横柄 オウヘイ
- 悪寒 オカン
- 汚泥 オデイ
- 果汁 カジュウ
- 渇望 カツボウ
- 稼働 カドウ

- 家督 カトク
- 寡聞 カブン
- 閑却 カンキャク
- 陥没 カンボツ
- 帰巣 キソウ
- 脚立 キャたつ
- 窮状 キュウジョウ
- 急騰 キュウトウ
- 糾明 キュウメイ
- 狭義 キョウギ
- 教唆 キョウサ
- 凶刃 キョウジン
- 謹啓 キンケイ
- 均斉 キンセイ
- 琴線 キンセン
- 吟味 ギンミ
- 功徳 クドク
- 供養 クヨウ
- 庫裏 クリ

- 薫陶 クントウ
- 軽侮 ケイブ
- 激甚 ゲキジン
- 嫌悪 ケンオ
- 顕著 ケンチョ
- 神神しい こうごう
- 格子 コウシ
- 幸甚 コウジン
- 更迭 コウテツ
- 剛腹 ゴウフク
- 枯渇 コカツ
- 酷評 コクヒョウ
- 湖沼 コショウ
- 懇願 コンガン
- 権化 ゴンゲ
- 混紡 コンボウ
- 建立 コンリュウ
- 最期 サイゴ
- 罪業 ザイゴウ

- 宰領 サイリョウ
- 散逸 サンイツ
- 惨禍 サンカ
- 思索 シサク
- 私淑 シシュク
- 市井 シセイ
- 実践 ジッセン
- 疾病 シッペイ
- 賜杯 シハイ
- 滋味 ジミ
- 借款 シャッカン
- 秀逸 シュウイツ
- 醜聞 シュウブン
- 儒学 ジュガク
- 種苗 シュビョウ
- 春宵 シュンショウ
- 尚早 ショウソウ
- 成仏 ジョウブツ
- 抄本 ショウホン

解説

ここで挙げた漢字について、ほかにどのような熟語で使われているのか、音読みであるのなら訓読みではどう読むのか、など辞書を引きながら調べてみましょう。特に訓読みは漢字のもつ意味を表していることが多いので、熟語の意味をとらえやすいでしょう。積極的に勉強することによって、ますます漢字についての理解を深めていくことになり、楽しみも増していきます。

- ☐ 渉猟　ショウリョウ
- ☐ 深更　シンコウ
- ☐ 迅速　ジンソク
- ☐ 崇高　スウコウ
- ☐ 製靴　セイカ
- ☐ 誓願　セイガン

- ☐ 清澄　セイチョウ
- ☐ 施主　セシュ
- ☐ 施錠　セジョウ
- ☐ 舌禍　ゼッカ
- ☐ 拙宅　セッタク
- ☐ 折衷　セッチュウ
- ☐ 漸進　ゼンシン
- ☐ 遷都　セント
- ☐ 旋風　センプウ
- ☐ 全幅　ゼンプク
- ☐ 川柳　センリュウ
- ☐ 憎悪　ゾウオ
- ☐ 早暁　ソウギョウ
- ☐ 荘厳　ソウゴン
- ☐ 捜索　ソウサク
- ☐ 怠惰　タイダ
- ☐ 多寡　タカ
- ☐ 妥結　ダケツ
- ☐ 山車　だし

- ☐ 手綱　たづな
- ☐ 建坪　たてつぼ
- ☐ 堕落　ダラク
- ☐ 弾劾　ダンガイ
- ☐ 探索　タンサク
- ☐ 反物　タンもの
- ☐ 稚拙　チセツ
- ☐ 血眼　ちまなこ
- ☐ 治癒　チユ
- ☐ 中核　チュウカク
- ☐ 沖天　チュウテン
- ☐ 中庸　チュウヨウ
- ☐ 弔辞　チョウジ
- ☐ 聴聞　チョウモン
- ☐ 通暁　ツウギョウ
- ☐ 築山　つきやま
- ☐ 逓増　テイゾウ
- ☐ 撤廃　テッパイ
- ☐ 湯治　トウジ

- ☐ 泥縄　どろなわ
- ☐ 納屋　ナや
- ☐ 尼僧　ニソウ
- ☐ 如実　ニョジツ
- ☐ 野良　のら
- ☐ 拝謁　ハイエツ
- ☐ 廃屋　ハイオク
- ☐ 伯仲　ハクチュウ
- ☐ 刃先　はさき
- ☐ 端数　はスウ
- ☐ 法被　ハッピ
- ☐ 鼻緒　はなお
- ☐ 秘奥　ヒオウ
- ☐ 美醜　ビシュウ
- ☐ 扶助　フジョ
- ☐ 普請　フシン
- ☐ 敷設　フセツ
- ☐ 払底　フッテイ
- ☐ 布団　フトン

- ☐ 賦与　フヨ
- ☐ 紛糾　フンキュウ
- ☐ 粉砕　フンサイ
- ☐ 弊社　ヘイシャ
- ☐ 偏重　ヘンチョウ
- ☐ 褒賞　ホウショウ
- ☐ 奔走　ホンソウ
- ☐ 凡庸　ボンヨウ
- ☐ 抹消　マッショウ
- ☐ 無惨　ムザン
- ☐ 網羅　モウラ
- ☐ 模擬　モギ
- ☐ 厄日　ヤクび
- ☐ 躍起　ヤッキ
- ☐ 由緒　ユイショ
- ☐ 遊説　ユウゼイ
- ☐ 窯業　ヨウギョウ
- ☐ 履行　リコウ
- ☐ 流布　ルフ

得点力UP!

覚えておきたい!

漢字の音訓

解説

漢字の読みには音読みと訓読みの二種類があります。「山」ならば音読みは「サン」、訓読みは「やま」です。音読みはその字の発音、訓読みはその字の日本語としての読みであると共に、その字の意味を表しているともいえます。音読みしかない漢字、訓読みしかない漢字（＝国字）も中にはありますが、大部分の漢字には音と訓、両方の読みがあり、両方を知ることで漢字への理解が始まります。

ここには音読み（片仮名）と訓読み（平仮名）を挙げてあります。ぜひ音と訓のセットで覚えてください。

- ☐ 製靴 セイカ
- ☐ 革靴 かわぐつ
- ☐ 懐旧 カイキュウ
- ☐ 懐かしむ なつ
- ☐ 渇水 カッスイ
- ☐ 渇く かわ
- ☐ 陥落 カンラク
- ☐ 陥る おちい
- ☐ 堪忍 カンニン
- ☐ 堪える た
- ☐ 疾患 シッカン
- ☐ 患う わずら
- ☐ 困窮 コンキュウ
- ☐ 窮まる きわ
- ☐ 拒絶 キョゼツ
- ☐ 拒む こば

- ☐ 恭順 キョウジュン
- ☐ 恭しい うやうや
- ☐ 矯正 キョウセイ
- ☐ 矯める た
- ☐ 挟撃 キョウゲキ
- ☐ 挟む はさ
- ☐ 払暁 フツギョウ
- ☐ 暁 あかつき
- ☐ 胸襟 キョウキン
- ☐ 襟足 えりあし
- ☐ 謹慎 キンシン
- ☐ 謹む つつし
- ☐ 一隅 イチグウ
- ☐ 片隅 かたすみ
- ☐ 薫香 クンコウ
- ☐ 薫る かお
- ☐ 地下茎 チカケイ
- ☐ 水茎 みずくき
- ☐ 蛍雪 ケイセツ
- ☐ 蛍 ほたる

- ☐ 懸案 ケンアン
- ☐ 懸ける か
- ☐ 嫌悪 ケンオ
- ☐ 嫌う きら
- ☐ 繭糸 ケンシ
- ☐ 繭玉 まゆだま
- ☐ 貢献 コウケン
- ☐ 貢ぐ みつ
- ☐ 側溝 ソッコウ
- ☐ 溝 みぞ
- ☐ 懇親 コンシン
- ☐ 懇ろ ねんご
- ☐ 示唆 シサ
- ☐ 唆す そそのか
- ☐ 酢酸 サクサン
- ☐ 梅酢 うめず
- ☐ 下賜 カシ
- ☐ 賜る たまわ
- ☐ 漆器 シッキ
- ☐ 漆塗り うるしぬ

- ☐ 遮断 シャダン
- ☐ 遮る さえぎ
- ☐ 酌量 シャクリョウ
- ☐ 酌む く
- ☐ 春愁 シュンシュウ
- ☐ 愁える うれ
- ☐ 醜悪 シュウアク
- ☐ 醜い みにく
- ☐ 補充 ホジュウ
- ☐ 充てる あ
- ☐ 苦渋 クジュウ
- ☐ 渋る しぶ
- ☐ 墨汁 ボクジュウ
- ☐ 汁粉 しるこ
- ☐ 償還 ショウカン
- ☐ 償う つぐな
- ☐ 一升 イッショウ
- ☐ 升目 ますめ
- ☐ 詔勅 ショウチョク
- ☐ 詔 みことのり

解説

音読みをする熟語の中には、読み方がわかっても意味のわからないものがありますが、漢字の訓読みがわかると、熟語の理解がより深まります。

たとえば、「矯正」の「矯」は、訓読みでは「矯める」です。「矯める」とは「形の悪いものを直して、よい形にすること」。「正」はもちろん「正す」ですから、「矯正」は「よい形に正すこと」。「歯並びの矯正」のような使い方をします。ほかの漢字についてもひとつひとつ点検してみてください。

- 徹宵　テッショウ
- 宵越し　よいご
- 醸造　ジョウゾウ
- 醸す　かも

- 縄文　ジョウモン
- 火縄　ひなわ
- 診察　シンサツ
- 診る　み
- 白刃　ハクジン
- 刃渡り　はわた
- 甚大　ジンダイ
- 甚だしい　はなは
- 逝去　セイキョ
- 逝く　ゆ
- 推薦　スイセン
- 薦める　すす
- 疎遠　ソエン
- 疎む　うと
- 挿入　ソウニュウ
- 挿し絵　さ(し)え
- 捜索　ソウサク
- 捜す　さが
- 海藻　カイソウ
- 藻塩　もしお

- 長蛇　チョウダ
- 蛇いちご　へび
- 挑戦　チョウセン
- 挑む　いど
- 弔問　チョウモン
- 弔う　とむら
- 眺望　チョウボウ
- 眺める　なが
- 雲泥　ウンデイ
- 泥沼　どろぬま
- 追悼　ツイトウ
- 悼む　いた
- 水筒　スイトウ
- 茶筒　チャづつ
- 病棟　ビョウトウ
- 棟上げ　むねあ
- 空洞　クウドウ
- 洞穴　ほらあな
- 尼僧　ニソウ
- 尼寺　あまでら

- 荒廃　コウハイ
- 廃れる　すた
- 培養　バイヨウ
- 培う　つちか
- 煩労　ハンロウ
- 煩わす　わずら
- 開扉　カイヒ
- 扉絵　とびらえ
- 愛猫　アイビョウ
- 三毛猫　みけねこ
- 軽侮　ケイブ
- 侮る　あなど
- 沸騰　フットウ
- 沸く　わ
- 憤激　フンゲキ
- 憤る　いきどお
- 偏重　ヘンチョウ
- 偏る　かたよ
- 気泡　キホウ
- 泡立つ　あわだ

- 褒賞　ホウショウ
- 褒める　ほ
- 紡績　ボウセキ
- 紡ぐ　つむ
- 研磨　ケンマ
- 磨く　みが
- 諭旨　ユシ
- 諭す　さと
- 窯変　ヨウヘン
- 窯元　かまもと
- 弊履　ヘイリ
- 履物　はきもの
- 川柳　センリュウ
- 柳　やなぎ
- 納涼　ノウリョウ
- 夕涼み　ゆうすず
- 返戻　ヘンレイ
- 戻す　もど
- 収賄　シュウワイ
- 賄う　まかな

得点力UP!

覚えておきたい！

同音・同訓異字

解説

同じ訓読みをするが、表す意味が異なる漢字を「同訓異字」、同じ音読みをするが、表す意味が異なる熟語を「同音異義語」といいます。どちらもその漢字、その熟語を使った用例短文で覚え、間違えずに書き分けることが大切です。

また、同訓異字・同音異義語はここに挙げたふたつだけとは限りません。検定でも別の漢字、熟語で出題されることがありますので、辞書を引いて書き出してみましょう。

- ☐ **アンショウ**に乗り上げる　暗礁
- ☐ **アンショウ**番号を入力する　暗証

- ☐ 果物が**イタ**む　傷
- ☐ 友人の死を**イタ**む　悼
- ☐ **イロウ**会を開く　慰労
- ☐ **イロウ**無きよう努める　遺漏
- ☐ ひと**エ**の花びら　重
- ☐ 傘の**エ**が折れた　柄
- ☐ 国王に**エッケン**する　謁見
- ☐ **エッケン**行為は禁止　越権
- ☐ 患部が**エンショウ**を起こす　炎症
- ☐ 隣家に**エンショウ**する　延焼
- ☐ 議論の**オウシュウ**　応酬
- ☐ 証拠品を**オウシュウ**する　押収

- ☐ 雑草を**カ**る　刈る
- ☐ 馬を**カ**る　駆る
- ☐ **カイジュウ**策を取る　懐柔
- ☐ **カイジュウ**映画を見る　怪獣
- ☐ **カゲン**の月が出る　下弦
- ☐ ふろの湯**カゲン**をみる　加減
- ☐ ガラスの**カビン**　花瓶
- ☐ 皮膚**カビン**症　過敏
- ☐ **カンセイ**な住宅地　閑静
- ☐ 飛行場の**カンセイ**塔　管制
- ☐ **カンヨウ**な人柄で知られる　寛容
- ☐ 今後の努力が**カンヨウ**だ　肝要
- ☐ 戦争の**ギセイ**者を悼む　犠牲
- ☐ 動物の**ギセイ**を発する　擬声

- ☐ 敵を**キュウチ**に追い込む　窮地
- ☐ 彼とは**キュウチ**の間柄だ　旧知
- ☐ 核の**キョウイ**　脅威
- ☐ **キョウイ**的な新記録　驚異
- ☐ 経済**キョウコウ**が起きる　恐慌
- ☐ **キョウコウ**な態度を貫く　強硬
- ☐ 大型台風が**キョウシュウ**する　強襲
- ☐ そぞろ**キョウシュウ**を覚える　郷愁
- ☐ 大都市**キンコウ**の住宅地　近郊
- ☐ 勢力の**キンコウ**を図る　均衡
- ☐ すぐ悲観する**ケイコウ**がある　傾向
- ☐ 昼食を**ケイコウ**する　携行
- ☐ 繰り返し**ケイコク**する　警告
- ☐ **ケイコク**のもみじが美しい　渓谷

- ☐ **ケイショウ**を略す　敬称
- ☐ 伝統芸能の**ケイショウ**　継承
- ☐ **ケンキョ**に反省する　謙虚
- ☐ 容疑者を**ケンキョ**する　検挙
- ☐ 児童**ケンショウ**を掲げる　憲章
- ☐ **ケンショウ**金を獲得する　懸賞
- ☐ 悪を**コ**らす　懲
- ☐ 目を**コ**らす　凝
- ☐ そのとおりと**コウテイ**する　肯定
- ☐ 知事**コウテイ**を建てる　公邸
- ☐ **コウテツ**のような固い意志　鋼鉄
- ☐ 大臣を**コウテツ**する　更迭
- ☐ **コウリョウ**とした風景　荒涼
- ☐ 食品に**コウリョウ**を加える　香料

解説

2級の試験では、同訓異字・同音異義語の問題が5組計10問出題されます。

この項で挙げた出題例のうち、複数の同音異義語を持つものをいくつか列挙しておきます。辞書で意味を調べて書き分けられるようにしてください。

- 感性・慣性・歓声・喚声・官製など
- 凶行・強行・強攻・教皇など
- 蛍光・経口・径行・鶏口など
- 軽症・景勝・軽傷・形象など
- 綱領・校了・考量・稿料など
- 信義・心技・神技・真義など

前歴を**サシヨウ**する　詐称
サシヨウを発給する　査証

目**ザワ**りな看板だ　障
手**ザワ**りのよい服だ　触
大国の**サン力**に入る　傘下
戦争の**サンカ**を伝える　惨禍
道路が**ジュウタイ**する　渋滞
一列**ジュウタイ**で進む　縦隊
ジュウダンを摘出する　銃弾
列島を**ジュウダン**する　縦断
財産を**ジョウヨ**する　譲与
ジョウヨ金を分配する　剰余
地場産業の**ショウレイ**　奨励
ショウレイの無い病気　症例
シンギ会を開く　審議
シンギの程は定かではない　真偽

選手**センセイ**を行う　宣誓
センセイ攻撃を仕掛ける　先制
港に**センパク**が出入りする　船舶
センパクな考え方をする　浅薄
国の未来を**ソウケン**に担う　双肩
両親とも**ソウケン**だ　壮健
聞き込み**ソウサ**をする　捜査
パソコンを**ソウサ**する　操作
ソウダイな計画を立てる　壮大
卒業生**ソウダイ**となる　総代
台風で**チョウイ**が上がる　潮位
チョウイ金をおくる　弔慰
言動を**ツツシ**む　慎
ツツシんで礼を言う　謹

株価が**トウキ**する　騰貴
不動産を**トウキ**する　登記
トコ夏の楽園　常
トコの間の置物　床
庭をほうきで**ハ**く　掃
暴言を**ハ**く　吐
ナイフの**ハ**を研ぐ　刃
山の**ハ**に月が沈む　端
ハキに乏しい　覇気
婚約を**ハキ**する　破棄
実力は**ハクチュウ**している　伯仲
ハクチュウ夢のような出来事　白昼
夜がだいぶ**フ**けた　更
父もだいぶ**フ**けた　老

作品の仕上げに**フシン**する　腐心
家を**フシン**する　普請
妻子を**フヨウ**する　扶養
景気が**フヨウ**する　浮揚
麦の**ホ**が揺れる　穂
船の**ホ**をあげる　帆
母校に**ホウショク**する　奉職
ホウショク店に強盗が入った　宝飾
ボウトウ陳述を行う　冒頭
物価が**ボウトウ**する　暴騰
自由**ホンポウ**に振舞う　奔放
ホンポウ初公開だ　本邦
幼児**ユウカイ**犯が捕まった　誘拐
温度が**ユウカイ**点に達した　融解

得点力UP!

覚えておきたい!

書き取り

解説

書き取りの問題も読みの問題と同様に、主に二字の熟語として出題されます。「開眼」「御利益」など、特別な読み方をするものも、書き取り問題として出題されることがありますので、注意してください。漢字の書き取りは、常日頃から楷書体でていねいに書くことを心がけましょう。とめるところ・はねるところ・はらうところは、はっきりと書いてください。くずしたり、続けたりして画数が変わってしまった字は不正解になります。

☐ **アイソ**よくあいさつする　愛想

☐ 川の**アサセ**に足を浸す　浅瀬
☐ 親類の家に**イソウロウ**する　居候
☐ 被災者を**イモン**する　慰問
☐ 両者の間には**ウンデイ**の差がある　雲泥
☐ **エリモト**にスカーフを巻く　襟元
☐ 証拠書類を**オウシュウ**する　押収
☐ 乾杯の**オンド**を取る　音頭
☐ 何とも複雑**カイキ**な物語だ　怪奇
☐ 大仏の**カイゲン**供養を行う　開眼
☐ 話が**カキョウ**に入った　佳境
☐ 注意を**カンキ**する　喚起
☐ ようやく仕事を**カンスイ**した　完遂

☐ **カンヨウ**に敵を許す　寛容
☐ 仏教に深く**キエ**する　帰依
☐ **キセイ**概念にとらわれる　既成
☐ 戦争の**ギセイ**者を弔う　犠牲
☐ パスポートを**ギゾウ**する　偽造
☐ **キッサ**店で少し休む　喫茶
☐ 天性の資質を**キョウユウ**している　享有
☐ **キョウリョウ**な人物とみなされる　狭量
☐ **クツジョク**的な負け方をした　屈辱
☐ 師の**クントウ**を受ける　薫陶
☐ **ケイセツ**の功を積む　蛍雪
☐ 自己**ケイハツ**に努める　啓発
☐ 国旗を**ケイヨウ**する　掲揚
☐ 長年の**ケンアン**が解決した　懸案

☐ **コウイン**矢のごとしという　光陰
☐ **ゴウカ**な結婚式を挙げた　豪華
☐ **コウゴウ**しいまでの姿に感動する　神神・神々
☐ 不安と期待が**コウサク**する　交錯
☐ ささいなことに**コウデイ**する　拘泥
☐ 郊外の**ゴウテイ**に住まう　豪邸
☐ 天気が良いから**コウラ**干しをしよう　甲羅
☐ **コクビャク**をはっきりさせる　黒白
☐ 恨み**コツズイ**に徹する　骨髄
☐ **コンコン**と言って聞かせる　懇懇・懇々
☐ **ザイゴウ**の深さにおののく　罪業
☐ 漢和辞典の部首**サクイン**を使う　索引
☐ 修学旅行で**ザコ**寝した　雑魚
☐ 学歴を**サショウ**する　詐称

☐ 何とも**サツバツ**とした風景だ　殺伐
☐ 大企業の**サンカ**に吸収される　傘下
☐ **ザンテイ**自治政府ができた　暫定
☐ この床は**シャオン**効果が高い　遮音
☐ **シャショウ**さんが検札に来た　車掌
☐ 友人の行動を**ジャスイ**する　邪推
☐ **シュウギ**袋に名前を書く　祝儀
☐ 読書のし過ぎで目が**ジュウケツ**した　充血
☐ 画壇の**ジュウチン**として知られる　重鎮
☐ **ジュウナン**な対応が望まれる　柔軟
☐ 市内**ジュンカン**バスに乗る　循環
☐ 権利をすべて**ジョウト**する　譲渡
☐ 計画はいつの間にか**ショウメツ**した　消滅
☐ 歩行者の側を**ジョコウ**する　徐行

解説

新しい漢字を覚えるときは、実際に書いて覚えましょう。正しい筆順で書くことは言うまでもありません。

検定では、画数が変わると不正解になりますので、たとえば「攵(のぶん)」「欠」「不」「句」の1画目と2画目を続けて書かないように気をつけてください。また、「扌(てへん)」「刂(りっとう)」「心」などの2画目、「代」「成」などの4画目は必ずはねること。「末」「未」のように長短によって別の字になってしまうものは、書き分けることが必要です。

- ☐ お**シルコ**を三杯もお代わりした　汁粉
- ☐ あれから幾**セイソウ**を経たことだろう　星霜
- ☐ **セキララ**な告白をする　赤裸裸・赤裸々

- ☐ 努めてビタミンを**セッシュ**する　摂取
- ☐ この会社は**タイグウ**が良い　待遇
- ☐ 贈賄罪で**タイホ**された　逮捕
- ☐ 相手の意向を**ダシン**してみる　打診
- ☐ お使いのお**ダチン**をあげる　駄賃
- ☐ **タツマキ**に家を壊された　竜巻
- ☐ その案がまず**ダトウ**だろう　妥当
- ☐ **ダンジキ**して精進潔斎する　断食
- ☐ **ダンボウ**の恋しい季節になった　暖房
- ☐ お**チャヅ**けで軽く済ます　茶漬
- ☐ **チュウシン**から哀悼の意を示す　衷心
- ☐ 山頂からの**チョウボウ**を楽しむ　眺望
- ☐ どうも**チンプ**な作品が多い　陳腐
- ☐ 法規制を**テッパイ**する　撤廃

- ☐ 責任を**テンカ**する　転嫁
- ☐ NHKは**トクシュ**法人だ　特殊
- ☐ 税金の**トクソク**状が来た　督促
- ☐ **トクメイ**で新聞に投書する　匿名
- ☐ ここの**ドジョウ**はアルカリ性だ　土壌
- ☐ 車の**トソウ**がはげてしまった　塗装
- ☐ 真相を**ニョジツ**に物語る　如実
- ☐ **ネンド**細工で動物をこしらえる　粘土
- ☐ 神主さんが**ノリト**をあげる　祝詞
- ☐ まだ実態を**ハアク**していない　把握
- ☐ ぶどうが**ハッコウ**した　発酵
- ☐ ピアノで独唱の**バンソウ**をする　伴奏
- ☐ 辞書の**ハンレイ**を読む　凡例
- ☐ 暑さ寒さも**ヒガン**まで　彼岸

- ☐ **ヒトキワ**鮮やかな色彩だ　一際
- ☐ 君のためなら**ヒトハダ**脱ごう　一肌
- ☐ 敵を**ヒョウロウ**攻めにする　兵糧
- ☐ 社会**フクシ**の専門学校に入る　福祉
- ☐ お寺にお**フセ**を出す　布施
- ☐ **ブタニク**をしょうが焼きにする　豚肉
- ☐ 人材が**フッテイ**している　払底
- ☐ 後輩のために**ベンギ**を図る　便宜
- ☐ 割ったガラスを**ベンショウ**する　弁償
- ☐ 花の**ホウコウ**が漂う　芳香
- ☐ 仕事の**ホウシュウ**を受け取った　報酬
- ☐ 神社に絵馬を**ホウノウ**する　奉納
- ☐ 密輸品を**ボッシュウ**する　没収
- ☐ 父はとても子**ボンノウ**だ　煩悩

- ☐ **マイゾウ**文化財を保存する　埋蔵
- ☐ **マッチャ**を一服いただく　抹茶
- ☐ 帽子を**マブカ**にかぶる　目深
- ☐ 葬儀の**モシュ**を務める　喪主
- ☐ **ユウズウ**のきかない人は困る　融通
- ☐ 首相が全国**ユウゼイ**を行う　遊説
- ☐ 新たなる事故を**ユウハツ**する　誘発
- ☐ 人権を**ヨウゴ**する　擁護
- ☐ 御**リヤク**の多い寺にお参りする　利益
- ☐ 当ての無い**ルロウ**の旅に出る　流浪
- ☐ 名家の**レイジョウ**として育つ　令嬢
- ☐ 火災の原因は**ロウデン**だった　漏電
- ☐ **ロウニャク**男女が寺に集った　老若
- ☐ **ワンガン**道路をドライブする　湾岸

テストに入る前に

①テストに取りかかる前に、P.128からの「チカラがつく資料」に目を通されることをおすすめします。

②解答は一画一画ていねいに書きましょう。

③解答時間を守りましょう。

④最後の第18回までやりとげましょう。

⑤自己採点は厳格に行いましょう（別冊の解答と照合する）。

⑥間違えたところは二度と間違えないように練習を心がけましょう。

テスト&資料《チカラがつく》

答えに、常用漢字の旧字体や常用漢字以外の漢字および常用漢字表にない読みを使ってはいけません。

テストの構成

㈠読　み
㈡部　首
㈢熟語の構成
㈣四字熟語
㈤対義語・類義語
㈥同音・同訓異字
㈦誤字訂正
㈧漢字と送りがな
㈨書き取り

本試験型

2級 第1回★テスト

〈60分〉

合計点

200点満点の
点

- 160点以上 合格
- 130点以上 もう一度学習を
- 100点以上 猛勉強が必要
- 99点以下 受検級を考え直しましょう

1×30

/30

(一) 次の――線の漢字の読みをひらがなで記せ。

1 隣人が突然失踪した。（　）
2 御利益を求めて神社に参る。（　）
3 久遠の情景に思いをはせる。（　）
4 観桜会に招待された。（　）
5 記名押印を忘れないようにする。（　）
6 亜硫酸ガスは酸性雨の原因となる。（　）
7 地元の製靴工場に勤務する。（　）
8 近所で誘拐事件が起こった。（　）
9 王の勘気に触れ官位を剥奪された。（　）
10 父は寡黙で冷静である。（　）
11 十年に一人の逸材といわれる。（　）
12 大使が天皇陛下に謁見する。（　）
13 戦禍に巻き込まれる。（　）
14 充実した生涯を送った。（　）
15 老翁に村の伝説を教わった。（　）
16 婚姻届にサインをする。（　）
17 弾劾状が読み上げられた。（　）
18 先生に元気よく挨拶する。（　）
19 鬱病を患い仕事を辞める。（　）
20 海岸沿いの岩窟に神社がある。（　）
21 品物に価をつける。（　）
22 祖母は藍染めの着物を好んだ。（　）

23 事故現場に人垣ができた。（　　）
24 台風が上陸する虞がある。（　　）
25 お宮で神楽を見物する。（　　）
26 飲酒に因って大事故が起きた。（　　）
27 嵐の前の静けさだ。（　　）
28 この絵は見事な出来栄えだ。（　　）
29 台風で屋根の瓦が飛んだ。（　　）
30 暗闇に人家の火影が浮かぶ。（　　）

1×10 /10

（二）次の漢字の**部首**を記せ。

〈例〉運〔辶〕　開〔門〕

1 傘（　　）
2 夜（　　）
3 缶（　　）
4 冥（　　）
5 栽（　　）
6 嗣（　　）
7 勾（　　）
8 斎（　　）
9 索（　　）
10 黙（　　）

2×10 /20

（三）**熟語の構成**のしかたには次のようなものがある。

ア　同じような意味の漢字を重ねたもの　（**悲哀**）
イ　反対または対応の意味を表す字を重ねたもの　（**増減**）
ウ　上の字が下の字を修飾しているもの　（**厳禁**）
エ　下の字が上の字の目的語・補語になっているもの　（**就職**）
オ　上の字が下の字の意味を打ち消しているもの　（**不在**）

次の熟語は右の**ア～オ**のどれにあたるか、**一つ**選び、**記号**を記せ。

1 合掌（　　）
2 環礁（　　）

3 僅少（　　）

4 遮光（　　）

5 昇降（　　）

6 未詳（　　）

7 互譲（　　）

8 清浄（　　）

9 伸縮（　　）

10 媒体（　　）

問1/2×10
問2/2×5

/30

（四）

次の**四字熟語**について、**問1**と**問2**に答えよ。

問1 次の**四字熟語**の（1〜10）に入る適切な語を後の□の中から選び、**漢字二字**で記せ。

ア 肝胆（1　　）

イ （2　　）万象

ウ 四分（3　　）

エ （4　　）踊躍

オ 向天（5　　）

カ （6　　）風月

キ 安寧（7　　）

ク （8　　）迅雷

ケ 夜郎（9　　）

コ （10　　）自若

かちょう・ごれつ・じだい・しっぷう
しんら・そうしょう・たいぜん・ちつじょ
とだ・やきん

問2 次の11〜15の**意味**にあてはまるものを**問1**の**ア〜コの四字熟語**から**一つ**選び、**記号**で答えよ。

11 自然の風景や風物。（　　）

12 身のほどを知らずにいばる。（　　）

13 落ち着いて動じないさま。（　　）

14 宇宙に存在するすべてのもの。（　　）

15 国や社会が安定しており、規律が保たれていること。（　　）

(五)

2×10 ／20

次の1〜5の**対義語**、6〜10の**類義語**を後の□の中から選び、**漢字**で記せ。□の中の語は一度だけ使うこと。

対義語

1 主役（　　）
2 設置（　　）
3 下落（　　）
4 潤沢（　　）
5 答申（　　）

類義語

6 余分（　　）
7 功名（　　）
8 屋敷（　　）
9 清澄（　　）
10 察知（　　）

こかつ・しもん・しゅくん・ていたく
てっきょ・とうき・どうさつ・とうてつ
よじょう・わきやく

(六)

2×10 ／20

次の――線の**カタカナ**を**漢字**に直せ。

1 相続**ホウキ**の手続きを行う。（　　）
2 圧政に対し人々が**ホウキ**した。（　　）

3 喜楽を**キョウジュ**する。（　　）
4 大学の**キョウジュ**になる。（　　）

5 動物の**ギセイ**語を発する。（　　）
6 戦争の**ギセイ**者を悼む。（　　）

7 車の**キョウセイ**保険に加入した。（　　）
8 歯並びを**キョウセイ**する。（　　）

9 **コト**の調べに耳を傾ける。（　　）
10 **コト**のよしあしを考える。（　　）

2×5

/10

(七) 次の各文にまちがって使われている**同じ読みの漢字**が**一字**ある。**上に誤字**を、**下に正しい漢字**を記せ。

1 購入する新居の家具調度品や必受品の一覧表を作り家族全員で検討することが目下の楽しみになっている。 （　・　）

2 派手な演出をする結婚披露宴が行われている一方で家族や親しい友人だけで行う閑素な式も人気を集めている。 （　・　）

3 人間の備妙な力加減を必要とする作業を代替できるロボットの開発計画の全体像を把握する。 （　・　）

4 政治家の出版記念パーティーにおける第一秘書の振る舞いは助才なく、さすがに手慣れたものだった。 （　・　）

5 隣接する工場の煙突の煙が風のある日は事に住宅地の方へ流れて来て住民は大いに迷惑している。 （　・　）

2×5

/10

(八) 次の――線の**カタカナ**を**漢字一字と送りがな(ひらがな)**に直せ。

〈例〉 新学期が**ハジマル**。 始まる

1 憂鬱な気分を**マギラワス**。 （　）

2 年長者を会長に**タテマツル**。 （　）

3 額の汗を**ヌグッ**て作業した。 （　）

4 勝利するなんて**ウラヤマシイ**限りだ。 （　）

5 従来の定説を**クツガエス**。 （　）

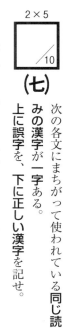

2×25

/50

(九) 次の――線のカタカナを漢字に直せ。

1 **カンヨウ**な心で意見を尊重し合う。（　　）
2 **キガ**に苦しむ人々の支援を行う。（　　）
3 **サイキン**を使った実験を行う。（　　）
4 責任を**テンカ**せず解決に努める。（　　）
5 旧友と**セキジツ**の思い出を語る。（　　）
6 駅前の**チュウリン**場を借りた。（　　）
7 賃上げ交渉が**ダケツ**した。（　　）
8 **センタク**物がよく乾いた。（　　）
9 方向**オンチ**が直らない。（　　）
10 社長の地位は**アンタイ**だ。（　　）
11 **アイマイ**な返事をする。（　　）
12 神仏に**イケイ**の念を抱く。（　　）
13 殿様から褒美を**チョウダイ**した。（　　）
14 実力はもう父親を**コ**えている。（　　）
15 会議は**トドコオ**りなく終わった。（　　）
16 早朝練習でチームを**キタ**える。（　　）
17 なすのぬか**ヅ**けがうまい。（　　）
18 三百**ツボ**の土地を手放す。（　　）
19 ビルの屋上からの**ナガ**めを楽しむ。（　　）
20 心を**ハズ**ませて外出する。（　　）
21 犬と猫が庭で**タワム**れている。（　　）
22 試合に惨敗し気持ちが**ナ**えた。（　　）
23 口に**ミツ**あり、腹に剣あり。（　　）
24 看板に**イツワ**りなし。（　　）
25 **ナマ**け者の節句働き。（　　）

本試験型

2級

第2回★テスト

〈60分〉

合計点

200点満点の
点

● 160点以上
合格
● 130点以上
もう一度学習を
● 100点以上
猛勉強が必要
● 99点以下
受検級を考え直しましょう

1×30

/30

(一) 次の――線の**漢字の読み**を**ひらがな**で記せ。

1 背景を鑑みて特別に便宜を図る。（　）
2 殉職した警官に敬意を表する。（　）
3 山寺の和尚さんの話を聞く。（　）
4 兄は古代史に通暁している。（　）
5 不肖の子でお恥ずかしい。（　）
6 都会でそぞろ郷愁を覚える。（　）
7 申し出に対する諾意を伝える。（　）
8 街中で上品な尼僧に会った。（　）
9 ようやく我が家を普請する。（　）
10 成績優秀者に褒賞金を与える。（　）
11 お寺にお布施を渡す。（　）
12 勅命によって和歌集を作る。（　）
13 造船所で駆逐艦を建造する。（　）
14 大音声で名乗りを上げた。（　）
15 国会議員が地方を遊説した。（　）
16 亡父の回向をする。（　）
17 他人の出世を羨望する。（　）
18 卑近な例を使って解説する。（　）
19 太鼓の練習に明け暮れた。（　）
20 旧友から恩師の訃報を知らされた。（　）
21 日々の練習で実力を培う。（　）
22 朝早く魚の競り市に出かける。（　）

23 朝廷は政の場であった。（　）
24 祖父に連れられて寄席へ行く。（　）
25 何も言わず俺について来い。（　）
26 暗闇の中を歩いて帰宅する。（　）
27 暑くなったので半袖の服を着る。（　）
28 父は孫を見ると目尻が下がる。（　）
29 袴《はかま》の裾を踏んで転ぶ。（　）
30 家の前に大きな柿の木がある。（　）

1×10
/10

(二)

次の漢字の**部首**を記せ。

〈例〉 運 辶　開 門

1 叔（　）
2 爵（　）
3 庶（　）
4 歳（　）
5 充（　）
6 粛（　）
7 褒（　）
8 殉（　）
9 闇（　）
10 臭（　）

2×10
/20

(三)

熟語の構成のしかたには次のようなものがある。

ア 同じような意味の漢字を重ねたもの（**悲哀**）
イ 反対または対応の意味を表す字を重ねたもの（**増減**）
ウ 上の字が下の字を修飾しているもの（**厳禁**）
エ 下の字が上の字の目的語・補語になっているもの（**就職**）
オ 上の字が下の字の意味を打ち消しているもの（**不在**）

次の熟語は右の**ア～オ**のどれにあたるか、**一つ**選び、**記号**を記せ。

1 巧拙（　）
2 叙勲（　）

3 睡眠（　　）
4 赴任（　　）
5 無難（　　）
6 硝煙（　　）
7 封鎖（　　）
8 伏兵（　　）
9 盛衰（　　）
10 窃盗（　　）

問1／2×10
問2／2×5

／30

(四)

次の**四字熟語**について、問1と問2に答えよ。

問1 次の**四字熟語**の（1～10）に入る適切な語を後の□の中から選び、**漢字二字**で記せ。

ア 屋上（1　　）
イ （2　　）外患
ウ 一朝（3　　）
エ （4　　）変化
オ 賢明（5　　）
カ （6　　）流行
キ 意馬（7　　）
ク （8　　）徒食
ケ 叙位（9　　）
コ （10　　）自在

いっせき・かおく・かんきゅう・ぐまい
じょくん・しんえん・ないゆう・ふえき
むい・ようかい

問2 次の11～15の**意味**にあてはまるものを問1の**ア～コの四字熟語**から**一つ**選び、**記号**で答えよ。

11 しなくてもよい余計なことをする。（　　）
12 思うままに操ること。（　　）
13 煩悩や欲情の抑えがたいこと。（　　）
14 内部にも外にも心配が多いこと。（　　）
15 蕉《しょう》風俳諧の理念で本質と新しい変化をとり入れるのが風雅の根幹ということ。（　　）

2×10
/20

(五)

次の1〜5の**対義語**、6〜10の**類義語**を後の□の中から選び、**漢字**で記せ。□の中の語は一度だけ使うこと。

対義語

1 硬球（　　）
2 存続（　　）
3 尊大（　　）
4 任命（　　）
5 威圧（　　）

類義語

6 懇親（　　）
7 太平（　　）
8 抄録（　　）
9 勝者（　　）
10 受胎（　　）

あんねい・かいじゅう・けんきょ・しんぼく
なんきゅう・にんしん・はいし・はしゃ
ばっすい・ひめん

2×10
/20

(六)

次の――線の**カタカナ**を**漢字**に直せ。

1 **ケンポウ**九条について学ぶ。（　　）
2 近所にある道場で**ケンポウ**を習う。（　　）

3 **シュコウ**しがたい通説だ。（　　）
4 **シュコウ**をこらした芸だ。（　　）

5 **センサイ**な性格をしている。（　　）
6 **センサイ**により家をなくした。（　　）

7 **ケンショウ**して功労に報いる。（　　）
8 雑誌の**ケンショウ**に当選した。（　　）

9 薬が**キ**くまで時間がかかる。（　　）
10 私の父と兄は左**キ**きだ。（　　）

2×5
/10

(七)

次の各文にまちがって使われている**同じ読みの漢字**が**一字**ある。**上に誤字**を、**下に正しい漢字**を記せ。

1 殺人容疑で指名手配中の容疑者が家族と接殖するとみて刑事たちが実家周辺で根気よく張り込みを続けた。（　・　）

2 新聞記者になって三年になるが、今もって記事が畳漫だと注意を受け自己嫌悪に陥っている。（　・　）

3 世界の人口は現在まで増加し続けてきたが、出生率は逆に年々低下しており、この傾向は特に先進国において賢著である。（　・　）

4 私は親戚が皆無な天涯孤独の身であるので、財産は福祉事業に熱心な知人に壌与するつもりである。（　・　）

5 人前で話したり歌ったりすると赤面して体が震え終わった後に疲労を覚えるのは自意識過乗の故なのだろうか。（　・　）

2×5
/10

(八)

次の――線の**カタカナ**を**漢字一字と送りがな(ひらがな)**に直せ。

〈例〉新学期が**ハジマル**。　始まる

1 **カタワラ**に人無きがごとし。（　）

2 春風に本のページが**ヒルガエル**。（　）

3 桜の花のつぼみが**ホコロビル**。（　）

4 祖父は**シブイ**お茶を好む。（　）

5 運良く事故を**マヌカレル**。（　）

2×25

/50

(九) 次の――線のカタカナを漢字に直せ。

1 ホウテイで真実が明らかになる。（　　）
2 野良猫が庭先でイカクし合っている。（　　）
3 近所の人に出会いエシャクする。（　　）
4 降水量を去年とヒカクする。（　　）
5 ドタンバで試合は振り出しに戻った。（　　）
6 新聞のレンサイ小説が楽しみだ。（　　）
7 フウトウに切手を貼る。（　　）
8 キョウシンショウの発作を起こす。（　　）
9 弟はアリュウの画家にすぎない。（　　）
10 シンジュのネックレスを買う。（　　）
11 床の間の掛けジクを取り替える。（　　）
12 反抗期の子供はアツカいにくい。（　　）
13 地震で家がカタムいた。（　　）
14 パンにバターをヌる。（　　）
15 ホバシラが折れるほどの強風だった。（　　）
16 ハスウは切り捨てて計算した。（　　）
17 よくナツいてかわいい子犬だ。（　　）
18 イサギヨく決心をする。（　　）
19 春のアラシが吹き荒れる。（　　）
20 軒先から雨水がシタタっている。（　　）
21 神社の池にカメが集まる。（　　）
22 焼肉を口いっぱいにホオバった。（　　）
23 マユに唾をつける。（　　）
24 カニはコウラに似せて穴を掘る。（　　）
25 大魚をイッす。（　　）

本試験型

2級

第3回★テスト

〈60分〉

合計点

200点満点の　　点

- 160点以上 合格
- 130点以上 もう一度学習を
- 100点以上 猛勉強が必要
- 99点以下 受検級を考え直しましょう

1×30　　／30

(一) 次の――線の**漢字の読み**を**ひらがな**で記せ。

1 胸襟を開いて語り合う。（　　）
2 肥沃な土地で小麦を育てる。（　　）
3 斎戒して神事に臨む。（　　）
4 手軽なスポーツを奨励する。（　　）
5 仏教に深く帰依する。（　　）
6 優勝力士に賜杯を授与する。（　　）
7 この地方は因循な気風が残る。（　　）
8 高尚な趣味をお持ちだ。（　　）
9 老師の衣鉢を継ぐ。（　　）
10 滄海《そうかい》変じて桑田となる。（　　）
11 奇矯な言動が目につく。（　　）
12 和洋折衷の家を建てる。（　　）
13 浴衣を着て祭りに出かける。（　　）
14 戦が終わり泰平の世が長く続く。（　　）
15 弟には羞恥心が欠けている。（　　）
16 その話は広く世間に流布している。（　　）
17 絵皿に群青色の絵の具を溶く。（　　）
18 部下は優秀な狙撃手だ。（　　）
19 秋になるとサケが川を遡上する。（　　）
20 不遜な態度を取りひんしゅくを買う。（　　）
21 終戦の詔が発せられた。（　　）
22 芳しからぬ風評が立つ。（　　）

23 候文の古い手紙が読めた。（　　）
24 桟敷席で芝居見物する。（　　）
25 雪崩に注意しながら進む。（　　）
26 大病を患ってから喫煙をやめた。（　　）
27 秋になって新酒を醸す。（　　）
28 夜が更けるまで遊び歩く。（　　）
29 やる気がすっかり萎えてしまった。（　　）
30 服の縫い目が綻びている。（　　）

(二)

1×10　／10

次の漢字の**部首**を記せ。

〈例〉運〔辶〕　開〔門〕

1 奨（　　）
2 塞（　　）
3 襟（　　）
4 丹（　　）
5 毅（　　）
6 率（　　）
7 尚（　　）
8 更（　　）
9 升（　　）
10 叙（　　）

(三)

2×10　／20

熟語の構成のしかたには次のようなものがある。

ア 同じような意味の漢字を重ねたもの（**悲哀**）
イ 反対または対応の意味を表す字を重ねたもの（**増減**）
ウ 上の字が下の字を修飾しているもの（**厳禁**）
エ 下の字が上の字の目的語・補語になっているもの（**就職**）
オ 上の字が下の字の意味を打ち消しているもの（**不在**）

次の熟語は右の**ア～オ**のどれにあたるか、**一つ**選び、**記号**を記せ。

1 参禅（　　）
2 釣果（　　）

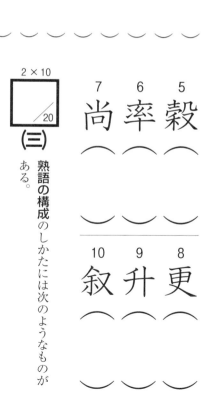

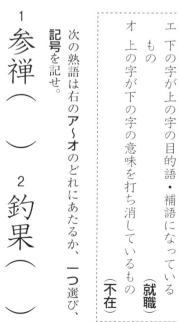

3 咽喉（　　）
4 上棟（　　）
5 葬祭（　　）
6 無精（　　）
7 愛憎（　　）
8 遭遇（　　）
9 検疫（　　）
10 歌仙（　　）

(四)

問1/2 × 10
問2/2 × 5

/30

次の**四字熟語**について、問1と問2に答えよ。

問1 次の**四字熟語**の（1～10）に入る適切な語を後の□の中から選び、**漢字二字**で記せ。

ア 高論（1　　）
イ （2　　）休題
ウ 多情（3　　）
エ （4　　）当千
オ 赤手（5　　）
カ （6　　）供養
キ 衆人（7　　）
ク （8　　）千万
ケ 高歌（9　　）
コ （10　　）以徳

いかん・いっき・かいげん・かんし
かんわ・くうけん・たくせつ・たこん
ほうえん・ほうぎん

問2 次の11～15の**意味**にあてはまるものを問1の**ア～コの四字熟語**から**一つ**選び、**記号**で答えよ。

11 大いに心残りである。（　　）
12 仏像に目を入れ魂を迎える儀式。（　　）
13 それはさておき。（　　）
14 人並はずれた能力があること。（　　）
15 物事に感じやすいために、うらみや悲しみも多いこと。（　　）

(五)

2×10 　/20

次の1～5の**対義語**、6～10の**類義語**を後の□の中から選び、**漢字**で記せ。□の中の語は一度だけ使うこと。

対義語

1 一部（　）
2 分割（　）
3 巧妙（　）
4 詳細（　）
5 細心（　）

類義語

6 続出（　）
7 激怒（　）
8 悪風（　）
9 対価（　）
10 表彰（　）

がいよう・ぜんぼう・ちせつ・ひんぱつ
ふんがい・へいごう・へいしゅう・ほうしゅう
ほうしょう・ほうたん

(六)

2×10 　/20

次の――線の**カタカナ**を**漢字**に直せ。

1 警察に身柄を**コウソク**された。（　）
2 心筋**コウソク**を患う。（　）
3 経歴を**サショウ**する。（　）
4 入国者の**サショウ**を見る。（　）
5 大企業の**サンカ**に入る。（　）
6 夫婦で**サンカ**医院を訪れる。（　）
7 **シッキ**をはらんだ風が吹く。（　）
8 **シッキ**の盆を買う。（　）
9 相手の腰に**ク**み付く。（　）
10 父と兄が酒を**ク**みかわす。（　）

2×5 /10

(七)

次の各文にまちがって使われている**同じ読みの漢字が一字**ある。**上に誤字**を、**下に正しい漢字**を記せ。

1 卒業後の進路は深重に考慮して決定すべきであり両親や担任教師ともよく相談することが望ましい。（　・　）

2 長年倹約しこつこつと貯金をして安普振ながら念願の庭付き一戸建て住宅を購入することができた。（　・　）

3 不幸にも十代で事故に見舞われて半身不髄となったが持ち前の根性で滑降競技の一流選手となった。（　・　）

4 兄の子は好奇心が旺盛で幼い頃から欧米の外国人と付き合い新しい文化の接取に一所懸命である。（　・　）

5 調理師は使い慣れた包丁を大切に扱い切れ味が落ちたり歯こぼれしたりした場合は自分で丁寧に研いでいる。（　・　）

2×5 /10

(八)

次の――線の**カタカナを漢字一字と送りがな(ひらがな)**に直せ。

〈例〉 新学期が**ハジマル**。 始まる

1 毎日を**ホガラカ**に過ごす。（　　）

2 借入金で年末賞与を**マカナウ**。（　　）

3 見目**ウルワシイ**女性と出会う。（　　）

4 二日ぶりの食事を**ムサボル**。（　　）

5 武力により隣国を**オビヤカス**。（　　）

2×25

/50

(九) 次の——線のカタカナを漢字に直せ。

1 カテーテルで**ケッセン**を除去する。（　　）
2 弟と一緒に**マンゲキョウ**を作った。（　　）
3 ヒョウが草原を**シッソウ**する。（　　）
4 前言を翻さぬとの**ゲンチ**を取った。（　　）
5 **ユイショ**正しい家柄をたたえる。（　　）
6 他国の政治に**カンショウ**する。（　　）
7 **カジュウ**百パーセントのジュースを飲む。（　　）
8 道路に多少の**オウトツ**がある。（　　）
9 「**キョウガ**新年」と毛筆で書いた。（　　）
10 市役所に**コンイン**届を出す。（　　）
11 **コウシ**戸を開けて案内を請う。（　　）
12 **カイショ**は書体の一種だ。（　　）
13 友人との間の**ミゾ**は深まるばかりだ。（　　）
14 主人公の**ミジ**めな姿は涙を誘った。（　　）
15 **ウエキバチ**を日なたに出す。（　　）
16 優勝した**アカツキ**には祝勝会を行う。（　　）
17 服にコーヒーの**シ**みがつく。（　　）
18 蚊取り線香は**ウズマ**きの形だ。（　　）
19 落胆している友を**ナグサ**める。（　　）
20 **アゴ**が痛いので病院に行く。（　　）
21 **カマメシ**の種類が豊富な店だ。（　　）
22 政敵を口汚く**ノノシ**る。（　　）
23 好事**マ**多し。（　　）
24 天は二物を**アタ**えず。（　　）
25 仏作って**タマシイ**入れず。（　　）

本試験型

2級 第4回★テスト

〈60分〉

合計点

200点満点の　　点

- 160点以上 合格
- 130点以上 もう一度学習を
- 100点以上 猛勉強が必要
- 99点以下 受検級を考え直しましょう

1×30　　／30

(一) 次の――線の漢字の読みをひらがなで記せ。

1 疫病神のように嫌われる。（　）
2 大衆紙に醜聞を暴かれる。（　）
3 窓ガラスを割って弁償させられた。（　）
4 責任を取って自宅で謹慎する。（　）
5 大臣を罷免する決定がなされた。（　）
6 図らずも問題点を露呈した。（　）
7 煩悩を断ち切ることは難しい。（　）
8 窯業の町として発展した。（　）
9 辞書の索引を引く。（　）
10 世間に一大旋風を巻き起こす。（　）
11 汽船を眺めて港情緒に浸る。（　）
12 あれから幾星霜を重ねたことだろう。（　）
13 解熱剤をのんで安静にしている。（　）
14 貸し借りを相殺する。（　）
15 太政官は現在の内閣に相当する。（　）
16 トラックが登坂車線を走行する。（　）
17 五月の薫風がさわやかだ。（　）
18 下級生と親睦を深める。（　）
19 業務の進捗状況を報告する。（　）
20 友人は他人の気持ちに無頓着だ。（　）
21 すだれで夏の日差しを遮る。（　）
22 傷痕が残るような大けがをした。（　）

23 日本の伝統楽器で名曲を奏でる。（　　）
24 八百長試合の疑惑が浮上した。（　　）
25 素人劇団ながら上出来だった。（　　）
26 身に覚えのない辱めを受けた。（　　）
27 能ある鷹《たか》は爪を隠す。（　　）
28 社長の鶴の一声で決定した。（　　）
29 プライバシーの侵害に憤る。（　　）
30 僕は貪るように食べた。（　　）

（二）

1×10　/10

次の漢字の**部首**を記せ。

〈例〉運〔辶〕　開〔門〕

1 斉（　　）
2 刃（　　）
3 窃（　　）
4 存（　　）
5 甚（　　）
6 術（　　）
7 畝（　　）
8 匂（　　）
9 衆（　　）
10 帥（　　）

（三）

2×10　/20

熟語の構成のしかたには次のようなものがある。

ア 同じような意味の漢字を重ねたもの　（**悲哀**）
イ 反対または対応の意味を表す字を重ねたもの　（**増減**）
ウ 上の字が下の字を修飾しているもの　（**厳禁**）
エ 下の字が上の字の目的語・補語になっているもの　（**就職**）
オ 上の字が下の字の意味を打ち消しているもの　（**不在**）

次の熟語は右の**ア**～**オ**のどれにあたるか、**一つ**選び、**記号**を記せ。

1 還元（　　）
2 与奪（　　）

3 弔辞（　　）

4 安泰（　　）

5 苛烈（　　）

6 納涼（　　）

7 非運（　　）

8 怠惰（　　）

9 浮沈（　　）

10 挑戦（　　）

問1／2×10
問2／2×5
／30

（四）

次の**四字熟語**について、問1と問2に答えよ。

問1 次の**四字熟語**の（1～10）に入る適切な語を後の□の中から選び、**漢字二字**で記せ。

ア 恐恐（1　　）

イ （2　　）添花

ウ 山河（3　　）

エ （4　　）自得

オ 痛快（5　　）

カ （6　　）蛇尾

キ 鶏口（7　　）

ク （8　　）馬食

ケ 風流（9　　）

コ （10　　）一体

ぎゅうご・きんげん・きんじょう・きんたい
げいいん・ことう・ざんまい・じごう
ひょうり・むひ

問2 次の11～15の**意味**にあてはまるものを**問1**のア～コの**四字熟語**から**一つ**選び、**記号**で答えよ。

11 自然の要害のこと。（　　）

12 多量に飲み食いすること。（　　）

13 自らの原因で報いを受ける。（　　）

14 この上なく胸がすうっとする。（　　）

15 大きな組織で従うより、小さくても人の上に立つほうがよいということ。（　　）

(五)

2×10　／20

次の1～5の**対義語**、6～10の**類義語**を後の□の中から選び、**漢字**で記せ。□の中の語は一度だけ使うこと。

対義語

1 緩流（　　）
2 懐疑（　　）
3 蓄積（　　）
4 固辞（　　）
5 不快（　　）

類義語

6 根絶（　　）
7 紛争（　　）
8 公正（　　）
9 永遠（　　）
10 純真（　　）

かいだく・しょうもう・そうかい・そぼく
ちゅうよう・ぼくめつ・ほんりゅう・まさつ
もうしん・ゆうきゅう

(六)

2×10　／20

次の——線の**カタカナ**を**漢字**に直せ。

1 実家へ荷物を**ユウソウ**した。（　　）
2 **ユウソウ**な歌声が聞こえる。（　　）
3 **セイジョウ**な空気に触れる。（　　）
4 **セイジョウ**旗はアメリカ合衆国の旗だ。（　　）
5 議論の**オウシュウ**が続く。（　　）
6 **オウシュウ**大陸を旅する。（　　）
7 **ジュウダン**を発射する。（　　）
8 日本列島を**ジュウダン**する。（　　）
9 かんにん袋の**オ**が切れた。（　　）
10 有力者に**オ**を振る。（　　）

2×5

/10

(七) 次の各文にまちがって使われている**同じ読みの漢字が一字**ある。**上に誤字**を、**下に正しい漢字**を記せ。

1 冷たい空気は下にたまる性質があるのでエアコンの冷風を洗風機を使って室内に循環させている。（　・　）

2 花や果実、野菜の成長を人工的にうながす速成栽培が盛んに行われ季節の先取りを実感している。（　・　）

3 繁盛している百円ショップには一概に租製乱造とはいえない製品が多くみられ様々な場面で重宝する。（　・　）

4 心理・自然描写に優れ物語文学の最高峰といわれる紫式部作の源氏物語は日本文学の祖石となった。（　・　）

5 今季から営業部に配属されたが成績不振に悩み更に健康も害したことで自信捜失に陥ってしまった。（　・　）

2×5

/10

(八) 次の――線の**カタカナ**を**漢字一字と送りがな(ひらがな)**に直せ。

〈例〉 新学期が**ハジマル**。 始まる

1 悲嘆する友を**ナグサメル**。（　）

2 葬儀でお**クヤミ**を述べる。（　）

3 その発言は**オダヤカ**でない。（　）

4 幼年時代の思い出は**ナツカシイ**。（　）

5 ついに化けの皮が**ハガレル**。（　）

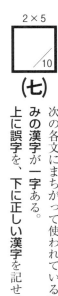

2×25

/50

(九) 次の——線のカタカナを漢字に直せ。

1 近所の病院で**シンサツ**してもらう。( )
2 **センニン**が住まうような深山幽谷だ。( )
3 主要な**ホニュウルイ**を網羅した図鑑だ。( )
4 近所の店で弟に**ダガシ**を買い与えた。( )
5 広大な**サバク**を横断する旅に出た。( )
6 **トウサン**する中小企業が多い。( )
7 学生時代は**ナンシキ**野球の選手だった。( )
8 力士に**ケショウ**まわしを贈る。( )
9 情報が**コウズイ**のようにあふれている。( )
10 **モギ**テストはまずまずの出来だった。( )
11 父の食事の**キュウジ**をする。( )
12 空気が**シッケ**を帯びてきた。( )
13 若くして**イ**った文豪をしのぶ。( )
14 **シバフ**を刈るアルバイトをする。( )
15 **ネコジタ**なので熱いものは苦手だ。( )
16 新しい**クツ**をおろして履く。( )
17 紅葉して山は秋の**ヨソオ**いとなった。( )
18 **イシウス**で小麦を粉にする。( )
19 **ワズ**かな差が勝敗を決めた。( )
20 **ケタチガ**いに大きな船に圧倒される。( )
21 土砂で道が**フサ**がれている。( )
22 **カマ**で稲を刈る。( )
23 浅い川も深く**ワタ**れ。( )
24 **エン**は異なもの味なもの。( )
25 少年よ大志を**イダ**け。( )

本試験型

2級

第5回★テスト

〈60分〉

合計点

200点満点の　　点

- 160点以上 合格
- 130点以上 もう一度学習を
- 100点以上 猛勉強が必要
- 99点以下 受検級を考え直しましょう

(一) 次の――線の**漢字の読み**を**ひらがな**で記せ。

1×30　　／30

1 国家の将来を双肩に担う。（　）
2 「春宵一刻値千金」という。（　）
3 冷酷な仕打ちに身震いする。（　）
4 戸籍謄本を取り寄せる。（　）
5 地殻変動が起きているらしい。（　）
6 座礁した船から脱出する。（　）
7 伝統芸能の神髄に触れる。（　）
8 父と吟醸酒を酌みかわす。（　）
9 大統領を国賓として迎える。（　）
10 母は大の愛猫家だ。（　）
11 仮払金の残りを返戻する。（　）
12 師の下で剣の奥義を究める。（　）
13 重さは風袋込みのものだ。（　）
14 原因不明の疾病に苦しむ。（　）
15 六根清浄を唱えつつ山に登る。（　）
16 僧侶となるため修行を行う。（　）
17 寂として人語無し。（　）
18 大会の実施を危惧する声が上がる。（　）
19 なんとかして資金を捻出する。（　）
20 領土問題から紛争が勃発した。（　）
21 耕運機を使って畑に畝を作る。（　）
22 美しい水茎の跡をたどる。（　）

23 昼食は各で用意する。（　　）
24 修学旅行の宿で雑魚寝する。（　　）
25 神主さんが祝詞をあげる。（　　）
26 死ぬまで操を守る。（　　）
27 鍋料理は冬の風物詩だ。（　　）
28 悪事を唆す人物とは距離をとる。（　　）
29 人を呪わば穴二つ。（　　）
30 玄関で履物をそろえて脱ぐ。（　　）

1×10 /10

(二)

次の漢字の**部首**を記せ。

〈例〉 運 〔辶〕　開 〔門〕

1 疎（　　）
2 参（　　）
3 喪（　　）
4 業（　　）
5 辣（　　）
6 占（　　）
7 塑（　　）
8 奉（　　）
9 曹（　　）
10 酌（　　）

2×10 /20

(三)

熟語の構成のしかたには次のようなものがある。

ア 同じような意味の漢字を重ねたもの（**悲哀**）
イ 反対または対応の意味を表す字を重ねたもの（**増減**）
ウ 上の字が下の字を修飾しているもの（**厳禁**）
エ 下の字が上の字の目的語・補語になっているもの（**就職**）
オ 上の字が下の字の意味を打ち消しているもの（**不在**）

次の熟語は右の**ア**～**オ**のどれにあたるか、**一つ**選び、**記号**を記せ。

1 雲泥（　　）
2 凸版（　　）

3 官邸（　　）

5 屯集（　　）

7 未遂（　　）

9 徹夜（　　）

4 懸念（　　）

6 首尾（　　）

8 浄財（　　）

10 惑溺（　　）

問1/2×10
問2/2×5

/30

(四)

次の**四字熟語**について、問1と問2に答えよ。

問1 次の**四字熟語**の（1〜10）に入る適切な語を後の□の中から選び、**漢字二字**で記せ。

ア 合従（1）

イ（2）有閑

ウ 薬石（3）

エ（4）同舟

オ 破邪（5）

カ（6）相制

キ 熱願（7）

ク（8）令色

ケ 詩歌（9）

コ（10）自在

かんげん・けんが・けんしょう・こうげん
ごえつ・へんげん・ぼうちゅう
むこう・れいてい・れんこう

問2 次の11〜15の**意味**にあてはまるものを問1のア〜コの**四字熟語**から**一つ**選び、**記号**で答えよ。

11 文学と音楽のこと。（　）

12 不正を打破し、正義を守ること。（　）

13 手当てのかいもないこと。（　）

14 仲の悪い者同士が同じ所にいること。（　）

15 ついたり離れたりして、さまざまにはかりごとをめぐらす。（　）

(五)

2×10 /20

次の1～5の**対義語**、6～10の**類義語**を後の□の中から選び、**漢字**で記せ。□の中の語は一度だけ使うこと。

対義語

1 貫徹（　　）
2 打倒（　　）
3 小計（　　）
4 栄達（　　）
5 純白（　　）

類義語

6 和合（　　）
7 仲間（　　）
8 除去（　　）
9 奇抜（　　）
10 範囲（　　）

ざせつ・ざんしん・しっこく・どうりょう・まっさつ・ゆうわ・ようりつ・るいけい・れいらく・わくない

(六)

2×10 /20

次の――線の**カタカナ**を**漢字**に直せ。

1 理事長に退任を**カンコク**する。（　　）
2 **カンコク**料理は辛い。（　　）
3 大会への参加を**キョヒ**する。（　　）
4 **キョヒ**を投じてビルを建てる。（　　）
5 団体**コウショウ**で要求を通す。（　　）
6 時代劇の**コウショウ**に携わる。（　　）
7 物価が**トウキ**する。（　　）
8 法務局で不動産を**トウキ**する。（　　）
9 魚雷で船を**シズ**める。（　　）
10 武力で暴徒を**シズ**める。（　　）

(七)

2×5 ／10

次の各文にまちがって使われている**同じ読みの漢字**が**一字**ある。**上に誤字**を、**下に正しい漢字**を記せ。

1 米国で行われた野球の国際試合では敵の猛攻に絶えてみごと勝利を収め選手団は意気揚揚と帰国した。（　・　）

2 実家は祖父の代から金属を溶かして型に流すのに清緻な技術を必要とする鋳物の工場を経営している。（　・　）

3 弟は幼児期から択越した運動能力の持ち主で野球や水泳、柔道と万能で今は空手に挑戦している。（　・　）

4 校舎で肝試しをやることになったが普段は剛胆に構えている兄が真っ先に候参して逃げ帰った。（　・　）

5 富士山からの頂望は素晴らしくそれまでの苦労を忘れて登山者はみな満足気な様子であった。（　・　）

(八)

2×5 ／10

次の――線の**カタカナ**を**漢字一字と送りがな(ひらがな)**に直せ。

〈例〉新学期が**ハジマル**。 始まる

1 人の気持ちを**モテアソブ**。（　　）

2 苦しくとも初心を**ツラヌク**。（　　）

3 子供が犠牲となる**イマワシイ**事故だった。（　　）

4 敵を**アザムク**計略だ。（　　）

5 悪事を**クワダテル**。（　　）

2×25

/50

(九) 次の——線の**カタカナ**を**漢字**に直せ。

1 兄は**キョウケン**の外野手だ。（　　）

2 もうすっかり**アイソ**も尽きた。（　　）

3 **ハクライ**の時計を買う。（　　）

4 **ヨレイ**が鳴る前に教室に滑り込んだ。（　　）

5 所得税の**コウジョ**を受ける。（　　）

6 **シュミ**のよい服を着ている。（　　）

7 姉は**ニンシン**六か月まで働いていた。（　　）

8 そろばん**ジュク**に五年通っている。（　　）

9 地方文化の振興に**コウケン**する。（　　）

10 キノコやカビは**キンルイ**である。（　　）

11 うちのいたずら**ボウズ**には手を焼く。（　　）

12 敵の**カンゲキ**をついて攻撃する。（　　）

13 演出家が俳優を**カ**ねている。（　　）

14 人助けして母に**ホ**められた。（　　）

15 里**イモ**のきぬかつぎを作る。（　　）

16 **エリ**を正して話を聞く。（　　）

17 **カ**はマラリアなどを媒介する。（　　）

18 健康回復の**キザ**しが見えてきた。（　　）

19 通信販売で**ナガソデ**のシャツを買う。（　　）

20 **サワ**やかな風が吹き抜けている。（　　）

21 **ヤマスソ**には森が広がっている。（　　）

22 **カギ**を落としたので警察へ遺失届を出す。（　　）

23 重箱の**スミ**を楊枝《ようじ》でほじくる。（　　）

24 のれんに**ウデ**押し。（　　）

25 エビでタイを**ツ**る。（　　）

本試験型

2級 第6回★テスト

〈60分〉

合計点

200点満点の
点

- 160点以上 合格
- 130点以上 もう一度学習を
- 100点以上 猛勉強が必要
- 99点以下 受検級を考え直しましょう

1×30

/30

(一) 次の――線の**漢字の読み**を**ひらがな**で記せ。

1 顔を紅潮させて嚇怒する。（　）
2 勲功を立てて表彰された。（　）
3 これ以外に選択肢はない。（　）
4 祖父は郊外の大邸宅に住む。（　）
5 話し言葉は時代と共に変遷する。（　）
6 監督の指示に従って動く。（　）
7 新しい紙幣は精巧な造りだ。（　）
8 責任を取って自ら減俸を申し出た。（　）
9 懇切丁寧な指導を心掛ける。（　）
10 土壇場になって辞退する。（　）
11 事件の渦中にいる人物と会う。（　）
12 その表情が真相を如実に物語る。（　）
13 最近地震が頻々として起きる。（　）
14 吉祥天をまつるほこらがある。（　）
15 商売繁盛でめでたいことだ。（　）
16 この世の富貴は望んでいない。（　）
17 ストレスで胃に腫瘍ができた。（　）
18 大仏の開眼供養が行われた。（　）
19 肥沃な土地を求めて旅をする。（　）
20 敵の動きに翻弄される。（　）
21 山を彩る紅葉が美しい。（　）
22 桃の花のよい匂いがする。（　）

23 兄に瓶の蓋を開けてもらう。（　）
24 手品の腕前なら玄人はだしだ。（　）
25 祖父は今日も野良仕事に出向いた。（　）
26 弥生時代の遺跡が発見される。（　）
27 終戦直後は闇市が栄えた。（　）
28 新聞小説の挿絵が楽しみだ。（　）
29 庭で子犬と戯れる。（　）
30 富士山の麓には樹海が広がる。（　）

(二)

1×10　／10

次の漢字の**部首**を記せ。

〈例〉運［辶］　開［門］

1 妥（　）
2 民（　）
3 弔（　）
4 哀（　）
5 衷（　）
6 懲（　）
7 罵（　）
8 泰（　）
9 冬（　）
10 堕（　）

(三)

2×10　／20

熟語の構成のしかたには次のようなものがある。

ア 同じような意味の漢字を重ねたもの（**悲哀**）
イ 反対または対応の意味を表す字を重ねたもの（**増減**）
ウ 上の字が下の字を修飾しているもの（**厳禁**）
エ 下の字が上の字の目的語・補語になっているもの（**就職**）
オ 上の字が下の字の意味を打ち消しているもの（**不在**）

次の熟語は右の**ア～オ**のどれにあたるか、**一つ**選び、**記号**を記せ。

1 忍苦（　）
2 硬軟（　）

3 尚早（　　）

4 興廃（　　）

5 覇気（　　）

6 無我（　　）

7 安寧（　　）

8 罷業（　　）

9 把持（　　）

10 殉教（　　）

問1／2×10
問2／2×5

／30

（四）

次の**四字熟語**について、問1と問2に答えよ。

問1 次の**四字熟語**の（1〜10）に入る適切な語を後の□の中から選び、**漢字二字**で記せ。

ア 精進（1　　）

イ （2　　）実直

ウ 会者（3　　）

エ （4　　）添足

オ 暗中（5　　）

カ （6　　）浮木

キ 玉石（7　　）

ク （8　　）邪説

ケ 簡単（9　　）

コ （10　　）無二

いたん・がだ・きんげん・けっさい
こんこう・しゃに・じょうり
めいりょう・もうき・もさく

問2 次の11〜15の**意味**にあてはまるものを**問1のア〜コの四字熟語**から**一つ**選び、**記号**で答えよ。

11 手がかりがないまま、探り求める。（　　）

12 余計なことをして失敗すること。（　　）

13 すぐれたものと劣ったものとがいりまじる。（　　）

14 正統からはずれた意見や立場。（　　）

15 飲食などを慎み、心身を清らかにすること。（　　）

(五)

2×10 /20

次の1～5の**対義語**、6～10の**類義語**を後の□の中から選び、**漢字**で記せ。□の中の語は一度だけ使うこと。

対義語

1 豊富（　）
2 潜在（　）
3 放任（　）
4 反逆（　）
5 巧遅（　）

類義語

6 完遂（　）
7 漂泊（　）
8 光陰（　）
9 痛烈（　）
10 沿革（　）

かんしょう・きょうじゅん・きんしょう
けんざい・じょうじゅ・しんらつ・せいそう
せっそく・へんせん・るろう

(六)

2×10 /20

次の——線の**カタカナ**を**漢字**に直せ。

1 退院直前に**キュウセイ**する。（　）
2 職場では**キュウセイ**を名乗る。（　）
3 校歌を**セイショウ**する。（　）
4 白砂**セイショウ**の風景が美しい。（　）
5 研究資料を**カイセキ**する。（　）
6 茶席で**カイセキ**料理をいただく。（　）
7 ガスメーターの**ケンシン**をする。（　）
8 病人に**ケンシン**的に尽くす。（　）
9 **ハ**が浮くようなお世辞を言う。（　）
10 かみそりの**ハ**を研ぐ。（　）

2×5 /10

(七) 次の各文にまちがって使われている**同じ読みの漢字が一字**ある。**上に誤字を、下に正しい漢字**を記せ。

1 茶詰みは俳句でいえば春の季語であるが立春から数えて八十八夜に当たる五月一日、二日頃行う。（　・　）

2 国の国産牛肉買い上げ事業を巡る偽装事件は、篤名の社員による内部告発によって明かされた。（　・　）

3 明日からの段位決定三番勝負に臨むに当たって相手の研究は万全だが更に気持ちを引き閉めて頑張りたい。（　・　）

4 激しい運動を終日続けたためか筋肉が炎症を起こして腫れたので薬品を吐布して痛みを和らげている。（　・　）

5 悪徳業者と政治家の贈収賄事件が後を絶たないが撤底して動機を解明し再発防止に結びつけたい。（　・　）

2×5 /10

(八) 次の――線の**カタカナを漢字一字と送りがな(ひらがな)**に直せ。

〈例〉 新学期が**ハジマル**。 始まる

1 師に**ウヤウヤシク**礼をする。（　）

2 **オソロシイ**夢を見てうなされた。（　）

3 功績は永遠に**クチル**ことがない。（　）

4 **ツツシン**でおわび申し上げる。（　）

5 我と我が身を**シイタゲル**。（　）

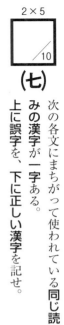

2×25

／50

(九) 次の——線のカタカナを漢字に直せ。

1 不当なサクシュが大きな非難を受けた。（　　）
2 近所のサンバシで夕日を眺めた。（　　）
3 父はジュンカンキを専門としている。（　　）
4 樹上に鳥がエイソウしていた。（　　）
5 デパートのトウジ器展に行く。（　　）
6 図書館のエツラン室では静かにしよう。（　　）
7 ニンジュツ使いが主人公の映画を見た。（　　）
8 西方ジョウドに生まれ変わる。（　　）
9 その病気ならメンエキができている。（　　）
10 結婚式のごシュウギを包む。（　　）
11 この辺りは日本有数のイナサク地帯だ。（　　）
12 将来の夢を思いエガく。（　　）
13 両者の意見をクんで結論を出す。（　　）
14 横ナグりの雨が降る。（　　）
15 ヒムロを再現した施設を見学した。（　　）
16 カキネに白い花が咲く。（　　）
17 川辺にホタルが飛び交う。（　　）
18 スズしげな麻の服を着ている。（　　）
19 祖父にいたずらをシカられる。（　　）
20 捻挫した足首がハれた。（　　）
21 西洋社会に対してアコガれを抱いた。（　　）
22 海でオボれた子供を救助する。（　　）
23 シュに交われば赤くなる。（　　）
24 キジョウの空論。（　　）
25 キュウすれば通ず。（　　）

本試験型 2級

第7回★テスト

〈60分〉

合計点

200点満点の　　点

- 160点以上 合格
- 130点以上 もう一度学習を
- 100点以上 猛勉強が必要
- 99点以下 受検級を考え直しましょう

1×30　　/30

(一) 次の――線の漢字の読みをひらがなで記せ。

1 現代社会の病根を喝破する。（　　）
2 繊弱な身体を鍛えたい。（　　）
3 将軍家の嫡嗣として生まれた。（　　）
4 紡績業が日本経済を支えてきた。（　　）
5 コンピュータの中枢機能が破壊された。（　　）
6 社会の根強い偏見と戦う。（　　）
7 成長とともに語彙が増える。（　　）
8 示唆に富む話で参考になった。（　　）
9 この辺りは屯田兵が開いた土地だ。（　　）
10 憤然として会議の席を立つ。（　　）
11 松たけの土瓶蒸しを味わう。（　　）
12 それでは責任転嫁ではないか。（　　）
13 氷河期の後、沖積世が始まった。（　　）
14 国会の聴聞会に出席する。（　　）
15 赤銅色に日焼けして夏が終わった。（　　）
16 後日のために言質を取っておく。（　　）
17 イギリスの湖沼地方を旅する。（　　）
18 店は閑散とした有様だった。（　　）
19 恩師の言葉は心の琴線に触れた。（　　）
20 整理整頓が苦手な性格だ。（　　）
21 大雪が行く手を阻む。（　　）
22 前例に倣って儀式を行う。（　　）

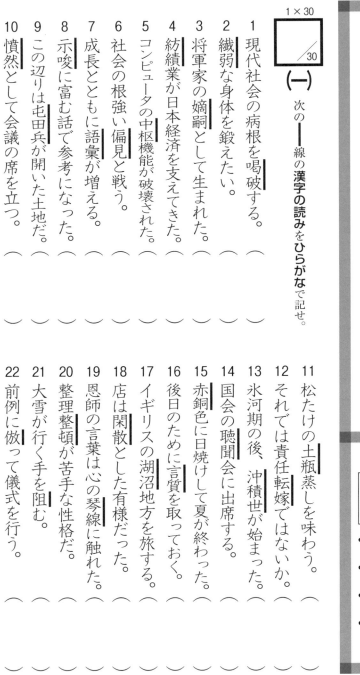

23 伯母のお供をして買い物に行く。（　　）

24 今夜から蚊帳をつって寝よう。（　　）

25 内容が淫らだと批判された。（　　）

26 両脇に荷物を抱えて帰省する。（　　）

27 恩師に宛てて手紙を書く。（　　）

28 新しい国家が興る。（　　）

29 乱暴な行為に眉をひそめる。（　　）

30 このリンゴは色艶ともに良い。（　　）

1×10

/10

(二)

次の漢字の**部首**を記せ。

〈例〉運 ⻌　開 門

1 屯（　　）

2 亭（　　）

3 謄（　　）

4 瓶（　　）

5 象（　　）

6 整（　　）

7 督（　　）

8 毀（　　）

9 凸（　　）

10 騰（　　）

2×10

/20

(三)

熟語の構成のしかたには次のようなものがある。

ア 同じような意味の漢字を重ねたもの （**悲哀**）

イ 反対または対応の意味を表す字を重ねたもの （**増減**）

ウ 上の字が下の字を修飾しているもの （**厳禁**）

エ 下の字が上の字の目的語・補語になっているもの （**就職**）

オ 上の字が下の字の意味を打ち消しているもの （**不在**）

次の熟語は右の**ア〜オ**のどれにあたるか、**一つ**選び、**記号**を記せ。

1 痛快（　　）

2 曖昧（　　）

3 浮沈（　　）
4 非凡（　　）
5 旋風（　　）
6 扶助（　　）
7 開扉（　　）
8 褒賞（　　）
9 造幣（　　）
10 貴賓（　　）

問1/2×10
問2/2×5
/30

(四)

次の**四字熟語**について、問1と問2に答えよ。

問1 次の**四字熟語**の（1～10）に入る適切な語を後の［　］の中から選び、**漢字二字**で記せ。

ア 志操（1　）
イ （2　）断行
ウ 大願（3　）
エ （4　）術数
オ 綱紀（5　）
カ （6　）諾諾
キ 色即（7　）
ク （8　）肉林
ケ 面従（9　）
コ （10　）最良

いい・けんご・けんぼう・しゅくせい
じゅくりょ・しゅち・じょうじゅ
ぜくう・はくび・ふくはい

問2 次の11～15の**意味**にあてはまるものを問1のア～コの**四字熟語**から**一つ**選び、**記号**で答えよ。

11 表をつくろい内心で反発する。（　）
12 ぜいたくの限りを尽くした宴会。（　）
13 人をあざむくたくらみ、はかりごと。（　）
14 よく考え、思い切って実行すること。（　）
15 政治家や官吏の態度を正して規律を厳しく守らせること。（　）

第7回

2×10 /20

(五)

次の1〜5の**対義語**、6〜10の**類義語**を後の□の中から選び、**漢字**で記せ。□の中の語は一度だけ使うこと。

対義語

1 厳格（　　）
2 高慢（　　）
3 低俗（　　）
4 欠如（　　）
5 尊敬（　　）

類義語

6 念願（　　）
7 奉仕（　　）
8 暗示（　　）
9 永眠（　　）
10 譲歩（　　）

かんよう・けいべつ・けんきょ・けんしん
こうしょう・しさ・じゅうじつ・せいきょ
だきょう・ほんかい

2×10 /20

(六)

次の――線の**カタカナ**を**漢字**に直せ。

1 地場産業を**ショウレイ**する。（　　）
2 病気の**ショウレイ**を示す。（　　）
3 幾**セイソウ**の歳月が流れた。（　　）
4 皆で教室を**セイソウ**する。（　　）
5 元気よく選手**センセイ**を行う。（　　）
6 **センセイ**攻撃で勝機をつかむ。（　　）
7 転校先で**ソガイ**感を味わう。（　　）
8 敵国の友好関係を**ソガイ**する。（　　）
9 金遣いが**アラ**い友人を心配する。（　　）
10 手ざわりが**アラ**い布を買う。（　　）

2×5

/10

(七)

次の各文にまちがって使われている**同じ読みの漢字**が**一字**ある。**上に誤字を、下に正しい漢字**を記せ。

1 各地で急速に推進された市町村合柄により由緒ある歴史的地名が消えてしまったことは返す返すも惜しまれる。（　・　）

2 中高年の患者が多い生活習慣病に最近は小学生もかかるようになり優慮すべき事態になっている。（　・　）

3 犯罪が多発する殺抜たる都会を逃げ出し山村の民家を借りて文字通り晴耕雨読の毎日をおくっている。（　・　）

4 会社から勤続三十年の表彰を受け家族同般で一週間の欧州旅行を満喫し、英気を養って帰国した。（　・　）

5 サミットでは先進国の首脳が一同に会するが不測の事態に備え開催国では厳重な警備が求められる。（　・　）

2×5

/10

(八)

次の――線の**カタカナ**を**漢字一字と送りがな（ひらがな）**に直せ。

〈例〉 新学期が**ハジマル**。 始まる

1 巨体が大きく**カタムク**。（　）

2 思いがけない展開に**アワテル**。（　）

3 **イサギヨク**敗北を認める。（　）

4 **オゴソカ**に式が執り行われた。（　）

5 来客を**ネンゴロ**にもてなす。（　）

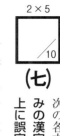

2×25

/50

(九) 次の——線のカタカナを漢字に直せ。

1 江戸時代の**ショミン**の生活を調べる。（　　）
2 隣国との貿易協定を**ヒジュン**した。（　　）
3 親元から**シュッポン**して海外へ渡る。（　　）
4 地域の**ホウシ**作業に参加した。（　　）
5 **コウズカ**の集めた美術品を公開する。（　　）
6 発展途上国を**エンジョ**する。（　　）
7 聞き取りで実情を**ハアク**する。（　　）
8 赤ちゃんが**キゲン**良く笑う。（　　）
9 問題の**カクシン**をつく。（　　）
10 英雄**ジョジ**詩を朗読する。（　　）
11 **ダンジキ**療法で健康体になった。（　　）
12 時節柄、ご自愛を**キネン**する。（　　）
13 **フクロ**入りの菓子を買う。（　　）
14 **オトメ**は若い女性を意味する言葉だ。（　　）
15 **トウゲ**の茶屋でひと休みする。（　　）
16 蚕が**マユ**を作りはじめた。（　　）
17 今は**ナ**き作家の遺稿集を出す。（　　）
18 父は薬の副作用で**ヤ**せてしまった。（　　）
19 野盗に**イノチゴ**いをする。（　　）
20 **ウス**ときねで餅をつく。（　　）
21 つまずいて**ガケ**から転げ落ちた。（　　）
22 **カワラ**を使って屋根をふく。（　　）
23 六日のあやめ、十日の**キク**。（　　）
24 暑さも寒さも**ヒガン**まで。（　　）
25 **クチビル**亡びて歯寒し。（　　）

本試験型 2級 第8回★テスト

〈60分〉

合計点

200点満点の　　点

- 160点以上 合格
- 130点以上 もう一度学習を
- 100点以上 猛勉強が必要
- 99点以下 受検級を考え直しましょう

(一)

1×30　　／30

次の――線の**漢字の読み**を**ひらがな**で記せ。

1 工事中の道路が突然陥没した。（　　）
2 徴収した会費の剰余金を分配する。（　　）
3 逓信省は郵政を扱う官庁だった。（　　）
4 お茶の銘柄品を買う。（　　）
5 係累が増えて面倒だ。（　　）
6 保険組合に扶養親族数を届け出る。（　　）
7 長く安寧な時代が続いた。（　　）
8 旅先で純朴な青年と知り合う。（　　）
9 学力は漸次向上している。（　　）
10 サッカーの試合中に捻挫した。（　　）
11 香車を前に出して展開をうかがう。（　　）
12 学歴詐称がばれてしまった。（　　）
13 雪渓を慎重に横断する。（　　）
14 寺の本堂に老若男女が集う。（　　）
15 宮内庁が宮家の慶事を発表した。（　　）
16 もはや昔日の面影はない。（　　）
17 島は断崖絶壁に囲まれている。（　　）
18 真摯な気持ちで向き合う。（　　）
19 羊が柵を越えて逃げた。（　　）
20 煩雑な手続きに嫌気がさす。（　　）
21 世間のことにはどうも疎い。（　　）
22 申し出の旨は伝えておく。（　　）

23 帰り際に忘れ物に気がついた。（　）
24 神棚にお神酒を供える。（　）
25 小論文の用紙の升目を必死に埋めた。（　）
26 追い詰められて進退窮まった。（　）
27 釜揚げうどんを注文する。（　）
28 鎌倉の大仏を見に出かける。（　）
29 虐げられていた人々が立ち上がる。（　）
30 学生時代を賄い付きの下宿で過ごす。（　）

（二）

1×10　/10

次の漢字の**部首**を記せ。

〈例〉運〔辶〕　開〔門〕

1 罷（　）
2 軟（　）
3 承（　）
4 扉（　）
5 煩（　）
6 畿（　）
7 覇（　）
8 成（　）
9 慶（　）
10 求（　）

（三）

2×10　/20

熟語の構成のしかたには次のようなものがある。

ア 同じような意味の漢字を重ねたもの（**悲哀**）
イ 反対または対応の意味を表す字を重ねたもの（**増減**）
ウ 上の字が下の字を修飾しているもの（**厳禁**）
エ 下の字が上の字の目的語・補語になっているもの（**就職**）
オ 上の字が下の字の意味を打ち消しているもの（**不在**）

次の熟語は右の**ア〜オ**のどれにあたるか、**一つ**選び、**記号**を記せ。

1 義憤（　）
2 教諭（　）

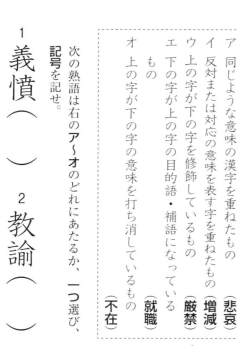

3 銘菓（　　）
4 諾否（　　）
5 未婚（　　）
6 朴直（　　）
7 治癒（　　）
8 出廷（　　）
9 崇仏（　　）
10 抹茶（　　）

問1／2×10
問2／2×5

／30

(四)

次の**四字熟語**について、問1と問2に答えよ。

問1 次の**四字熟語**の（1～10）に入る適切な語を後の□の中から選び、**漢字二字**で記せ。

ア 諸行（1　　）
イ （2　　）主義
ウ 六根（3　　）
エ （4　　）善舞
オ 鼓腹（5　　）
カ （6　　）自縛
キ 内憂（7　　）
ク （8　　）一刻
ケ 減価（9　　）
コ （10　　）果断

がいかん・げきじょう・じじょう
しゅんしょう・しょうきゃく・しょうじょう
じんそく・せつな・ちょうしゅう・むじょう

問2 次の11～15の**意味**にあてはまるものを問1の**ア～コの四字熟語**から**一つ**選び、**記号**で答えよ。

11 理想的な政治が人民にゆきとどく。（　　）
12 自身の言動で身動きがとれない。（　　）
13 満ち足りた春の夜のひととき。（　　）
14 すばやく決断して行うこと。（　　）
15 人生のはかなさという仏教の根本思想。（　　）

(五)

2×10 /20

次の1～5の**対義語**、6～10の**類義語**を後の□の中から選び、**漢字**で記せ。□の中の語は一度だけ使うこと。

対義語

1 大胆（　　）
2 獲得（　　）
3 酸化（　　）
4 更生（　　）
5 汚濁（　　）

類義語

6 残念（　　）
7 互角（　　）
8 抜粋（　　）
9 平穏（　　）
10 公表（　　）

あんたい・いかん・おくびょう・かんげん・しょうろく・せいじょう・そうしつ・だらく・はくちゅう・ひろう

(六)

2×10 /20

次の――線の**カタカナ**を**漢字**に直せ。

1 大自然の中で命の**センタク**をする。（　　）
2 三者からひとつを**センタク**する。（　　）
3 敵意もあらわに**チョウハツ**する。（　　）
4 理容店で**チョウハツ**してもらう。（　　）
5 **ダトウ**な判断を下す。（　　）
6 長年の宿敵を**ダトウ**する。（　　）
7 友の**クチュウ**は察するに余りある。（　　）
8 農作物の**クチュウ**を行う。（　　）
9 ヨットの白い**ホ**がまぶしい。（　　）
10 麦の**ホ**が風にゆれる。（　　）

2×5 ／10

(七)

次の各文にまちがって使われている**同じ読みの漢字が一字**ある。**上に誤字**を、**下に正しい漢字**を記せ。

1 近県の山が数十年振りに爆発し火口から憤出した煙は遠く離れた平地からも確認できたそうだ。（　・　）

2 停戦と衝突を繰り返しながら国境粉争は長期化し大国による仲裁の成否に世界が注目している。（　・　）

3 来月に受験予定の英語倹定の合格対策の一つとして英単語と和訳を記したカードを作って猛勉強した。（　・　）

4 鉄工所の騒音によって安眠を防害されるという住民の苦情が相次ぎ役所が調査に乗り出した。（　・　）

5 地方の過疎化が目立つ一方で都市では人口が豊和状態に達し住宅問題等に深刻な影響を与えている。（　・　）

2×5 ／10

(八)

次の――線の**カタカナ**を**漢字一字と送りがな(ひらがな)**に直せ。

〈例〉 新学期が**ハジマル**。　始まる

1 畑に有機肥料を**ホドコス**。（　）

2 成績は**カンバシク**なかった。（　）

3 事業の妨害を**ソソノカス**。（　）

4 話を**サエギッ**て意見を述べる。（　）

5 母は我が子を**イツクシム**。（　）

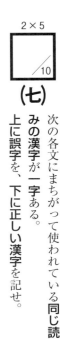

2×25

/50

(九) 次の――線のカタカナを漢字に直せ。

1 古くなった制度を**ハイシ**した。（　）
2 組んでいた予定が**スイホウ**に帰した。（　）
3 **キャタツ**を使って高所作業を行う。（　）
4 オーケストラ部で**モッキン**を担当する。（　）
5 中腹まで登ったら**キュウケイ**しよう。（　）
6 **ボウケン**心に富んだ少年時代だった。（　）
7 **カンゲン**の音が優雅に響く。（　）
8 **ダキョウ**案を提示する。（　）
9 栄養バランスの良い**コンダテ**を考える。（　）
10 それは土木課の**カンカツ**だ。（　）
11 小銃に弾を**ソウテン**する。（　）
12 **ビモク**秀麗な若者だ。（　）
13 この村まで鉄道を**シ**く計画がある。（　）
14 心を**オニ**にして頼みを断る。（　）
15 **カ**れ枝にカラスが止まっている。（　）
16 冷たい水で喉の**カワ**きをいやす。（　）
17 鼻緒の部分に**クツズ**れが出来た。（　）
18 従来の学説を**クツガエ**す発見だ。（　）
19 **オロ**し売りの店で安く入手した。（　）
20 転んで**ヒザ**をすりむく。（　）
21 大声で**ノノシ**られた。（　）
22 伐採した木の皮を**ハ**ぐ。（　）
23 **エド**の敵を長崎で討つ。（　）
24 すずめ百まで**オド**り忘れず。（　）
25 生き馬の目を**ヌ**く。（　）

本試験型

2級

第9回★テスト

〈60分〉

合計点

200点満点の　　点

- 160点以上 合格
- 130点以上 もう一度学習を
- 100点以上 猛勉強が必要
- 99点以下 受検級を考え直しましょう

(一)

1×30　　/30

次の――線の**漢字の読み**を**ひらがな**で記せ。

1 会社には慶弔休暇の規定がある。（　　）
2 保険契約の約款を読んでおく。（　　）
3 先鋭化を避け中庸の道を守る。（　　）
4 添乗員として団体旅行を宰領する。（　　）
5 附随して起こる問題を処理する。（　　）
6 敵国に密偵を放つ。（　　）
7 国璽は国家の印である。（　　）
8 みごと七連覇を達成した。（　　）
9 領民達が干天の慈雨を喜ぶ。（　　）
10 本堂から読経の声が聞こえてくる。（　　）
11 最高の権力を渇望する。（　　）
12 連続ドラマの展開に興味津津だ。（　　）
13 冬の朝の澄明な空気を吸う。（　　）
14 兄の大願成就を祈る。（　　）
15 英雄はついに非業の死を遂げた。（　　）
16 仏は一切衆生を救う。（　　）
17 一度挫折を味わうと強くなる。（　　）
18 嫉妬しても何も変わらない。（　　）
19 右舷前方に敵艦を発見する。（　　）
20 国の将来を危惧する。（　　）
21 平和の礎を築いた先人に感謝する。（　　）
22 池にいるコイに餌をやる。（　　）

23 敵陣を十重二十重に囲む。（　）
24 この国全体を統べる人物だ。（　）
25 赤ちゃんに産湯をつかわせる。（　）
26 年長者に教えを乞う。（　）
27 叔父に保証人になってもらった。（　）
28 扉を左右にひらく。（　）
29 太線の枠の中に解答を書く。（　）
30 恭しく贈り物を差し出す。（　）

1×10 /10

(二) 次の漢字の部首を記せ。

〈例〉運 [辶]　開 [門]

1 賓（　）
2 丙（　）
3 重（　）
4 褒（　）
5 朱（　）
6 瓶（　）
7 彙（　）
8 幣（　）
9 年（　）
10 両（　）

2×10 /20

(三) 熟語の構成のしかたには次のようなものがある。

ア 同じような意味の漢字を重ねたもの（悲哀）
イ 反対または対応の意味を表す字を重ねたもの（増減）
ウ 上の字が下の字を修飾しているもの（厳禁）
エ 下の字が上の字の目的語・補語になっているもの（就職）
オ 上の字が下の字の意味を打ち消しているもの（不在）

次の熟語は右のア～オのどれにあたるか、一つ選び、記号を記せ。

1 優劣（　）
2 履行（　）

3 捕鯨（　　）
4 妄想（　　）
5 凡庸（　　）
6 振鈴（　　）
7 非礼（　　）
8 往還（　　）
9 漆黒（　　）
10 裕福（　　）

問1/2×10
問2/2×5
/30

（四）

次の**四字熟語**について、問1と問2に答えよ。

問1 次の**四字熟語**の（1〜10）に入る適切な語を後の□の中から選び、**漢字二字**で記せ。

ア 土豪（1　　）
イ（2　　）必衰
ウ 円転（3　　）
エ（4　　）獣骨
オ 百花（5　　）
カ（6　　）飛語
キ 眉間（7　　）
ク（8　　）歯寒
ケ 偶像（9　　）
コ（10　　）夜行

いっしゃく・かつだつ・きっこう・じょうしゃ
しんぼう・すうはい・せいほう
ひゃっき・りゅうげん・れっしん

問2 次の11〜15の**意味**にあてはまるものを問1のア〜コの**四字熟語**から**一つ**選び、**記号**で答えよ。

11 物事をそつなくこなすこと。（　　）
12 農民を搾取する豪族や資産家。（　　）
13 学問、芸術が同時に盛んになる。（　　）
14 悪人どもが横行すること。（　　）
15 密接な関係にあるものの一方が滅びると片方も危うくなること。（　　）

(五)

2×10　/20

次の1～5の**対義語**、6～10の**類義語**を後の［　］の中から選び、**漢字**で記せ。［　］の中の語は一度だけ使うこと。

対義語

1 賞賛（　　）
2 理論（　　）
3 軽侮（　　）
4 総合（　　）
5 粗略（　　）

類義語

6 心配（　　）
7 尽力（　　）
8 荘重（　　）
9 混乱（　　）
10 病気（　　）

けねん・げんしゅく・しっかん・しっせき
じっせん・すうはい・ていねい・ふんきゅう
ぶんせき・ほんそう

(六)

2×10　/20

次の――線の**カタカナ**を**漢字**に直せ。

1 物価が**コウトウ**する。（　　）
2 **コウトウ**試問を受ける。（　　）
3 部下を**トクレイ**する。（　　）
4 **トクレイ**として認める。（　　）
5 首相**カンテイ**を警備する。（　　）
6 美術品に**カンテイ**書を付ける。（　　）
7 外務大臣を**コウテツ**する。（　　）
8 **コウテツ**のような堅い意志を持つ。（　　）
9 芝生を**カ**りそろえる。（　　）
10 手伝いに**カ**り出される。（　　）

2×5

/10

(七)

次の各文にまちがって使われている**同じ読みの漢字**が**一字**ある。**上に誤字**を、**下に正しい漢字**を記せ。

1 春休みを利用して初めての海外旅行で豪州へ行くが日程を検討していると、期待と興憤で落ち着かない。（　・　）

2 舞と謡から成る日本で独特に発展した仮面劇である能は、見る者を憂玄の世界に誘って実に趣が深い。（　・　）

3 専制将軍を暗殺する陰謀が企てられ事前に計画が漏れずに目的を完推するよう慎重に討議が重ねられた。（　・　）

4 校則に違反し風紀を乱す生徒を教員室に呼んで厳しく嫉責したが、反省の色は見られなかった。（　・　）

5 牛肉・魚介類・野菜などの食品に国産と名打ちながら実際は輸入品であったことが明るみに出た。（　・　）

2×5

/10

(八)

次の——線の**カタカナ**を**漢字一字と送りがな（ひらがな）**に直せ。

〈例〉新学期が**ハジマル**。［始まる］

1 兼業で家計を**ウルオス**。（　）

2 老人が若者に知恵を**サズケル**。（　）

3 悪かったと頭を下げて**アヤマル**。（　）

4 **マタタク**間に一年が過ぎた。（　）

5 **オシク**も決勝戦で敗れた。（　）

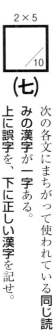

2 ×25

/50

(九) 次の——線のカタカナを漢字に直せ。

1 病院で**ノウコウソク**と診断された。( )
2 **シュウワイ**の疑いで逮捕される。( )
3 水路に**タイセキ**した土砂をかき出す。( )
4 庄屋が**ネング**を徴収していた。( )
5 **カクウ**の人物を登場させる。( )
6 麦わら**ボウシ**をかぶって出かける。( )
7 **セン**抜きがどこにも見当たらない。( )
8 学校のプールで**ケンメイ**に泳ぐ。( )
9 皇太子**ヒ**殿下にお目にかかる。( )
10 党首が全国を**ユウゼイ**する。( )
11 **コカンセツ**のストレッチを行う。( )
12 友人の突然の**フホウ**に驚く。( )
13 父は**イク**つもの役職を兼ねている。( )
14 筆にたっぷりと**スミ**を含ませる。( )
15 **アワ**い色の服がよく似合う。( )
16 必要**カ**つ十分な説明を加える。( )
17 自分の**ホッ**するままに行動する。( )
18 **ニセ**情報に注意する。( )
19 やかんのお湯が**ワ**いた。( )
20 正月に家族で**モチ**をつく。( )
21 **ヒジカ**けのついたソファーで寛ぐ。( )
22 子供の失敗の**シリヌグ**いをする。( )
23 人事を**ツ**くして天命を待つ。( )
24 **イ**の中のかわず大海を知らず。( )
25 長い物には**マ**かれろ。( )

本試験型

2級

第10回★テスト

〈60分〉

合計点

200点満点の　　点

- 160点以上 合格
- 130点以上 もう一度学習を
- 100点以上 猛勉強が必要
- 99点以下 受検級を考え直しましょう

1×30　／30

(一)

次の――線の**漢字の読み**を**ひらがな**で記せ。

1 父はこの分野で傑出した研究者だ。（　）
2 巨大企業の総帥として君臨する。（　）
3 上司に進捗状況を報告する。（　）
4 この仏像は乾漆像だ。（　）
5 事故の損害賠償を請求する。（　）
6 相手に対して軽侮の念がわく。（　）
7 海難事故で救命艇が出動する。（　）
8 絵画より彫塑に興味がある。（　）
9 亜麻は青紫の花を咲かせる。（　）
10 一張羅の背広を着て出かける。（　）
11 客が無く閑古鳥が鳴いている。（　）
12 社会保険料を控除する。（　）
13 読唇術で話の内容をつかんだ。（　）
14 ついに堪忍袋の緒が切れた。（　）
15 金の亡者になり下がる。（　）
16 お寺で朝の勤行が始まった。（　）
17 物見遊山のつもりで来ては困る。（　）
18 仕事用の机と椅子を購入する。（　）
19 父は腎臓に持病がある。（　）
20 須磨の浦は有名な景勝地だ。（　）
21 国際会議の参加国の旗が翻る。（　）
22 親鳥がひなを慈しむ。（　）

23 故郷で過ごした日々は今も忘れ難い。（　　）
24 早朝に小舟で投網漁に行く。（　　）
25 ひさしを貸して母屋を取られる。（　　）
26 ライバルから内股で一本取る。（　　）
27 暴力で人を脅してはいけない。（　　）
28 秋の夜、独りで酒を酌む。（　　）
29 死者を手厚く葬る。（　　）
30 庭に来るシジュウカラに餌を与える。（　　）

(二)

1×10　／10

次の漢字の**部首**を記せ。

〈例〉運 ⻌　開 門

1 奔（　　）
2 癒（　　）
3 乏（　　）
4 升（　　）
5 与（　　）
6 索（　　）
7 麻（　　）
8 耗（　　）
9 興（　　）
10 崇（　　）

(三)

2×10　／20

熟語の構成のしかたには次のようなものがある。

ア 同じような意味の漢字を重ねたもの（**悲哀**）
イ 反対または対応の意味を表す字を重ねたもの（**増減**）
ウ 上の字が下の字を修飾しているもの（**厳禁**）
エ 下の字が上の字の目的語・補語になっているもの（**就職**）
オ 上の字が下の字の意味を打ち消しているもの（**不在**）

次の熟語は右の**ア～オ**のどれにあたるか、**一つ**選び、**記号**を記せ。

1 陰陽（　　）
2 押韻（　　）

3 去就（　　）

4 製靴（　　）

5 婚姻（　　）

6 防疫（　　）

7 廉価（　　）

8 無視（　　）

9 老翁（　　）

10 逸材（　　）

問1／2×10
問2／2×5

／30

(四)

次の**四字熟語**について、**問1**と**問2**に答えよ。

問1 次の**四字熟語**の（1〜10）に入る適切な語を後の□の中から選び、**漢字二字**で記せ。

ア 放歌（1　　）

イ （2　　）気鋭

ウ 羽化（3　　）

エ （4　　）奪胎

オ 南船（5　　）

カ （6　　）烈日

キ 意気（7　　）

ク （8　　）夢死

ケ 無影（9　　）

コ （10　　）万紅

> かんこつ・こうぎん・しゅうそう
> しょうそう・すいせい・せんし
> そそう・とうせん・ほくば・むそう

問2 次の11〜15の**意味**にあてはまるものを**問1**の**ア〜コの四字熟語**から**一つ**選び、**記号**で答えよ。

11 全国を忙しく旅すること。（　　）

12 酒などに酔って良い気分になる。（　　）

13 ぼんやりと生涯を過ごすこと。（　　）

14 年が若く、意気盛んであること。（　　）

15 権威・志操・刑罰などが非常に厳しいこと。（　　）

2×10
/20

(五)

次の1～5の**対義語**、6～10の**類義語**を後の□の中から選び、**漢字**で記せ。
□の中の語は一度だけ使うこと。

対義語

1 明確（　　）
2 絶賛（　　）
3 混乱（　　）
4 借覧（　　）
5 真実（　　）

類義語

6 苦労（　　）
7 扇動（　　）
8 処罰（　　）
9 寄与（　　）
10 頑固（　　）

あいまい・きょうさ・きょぎ・こうけん
こうどく・こくひょう・しんさん・ちつじょ
ちょうかい・へんくつ

2×10
/20

(六)

次の――線のカタカナを漢字に直せ。

1 戦乱で国が**コウハイ**した。（　　）
2 友人の弟は高校の二年**コウハイ**だ。（　　）

3 選手十人で**ハケン**を争う。（　　）
4 同盟国に使者を**ハケン**する。（　　）

5 水平線から**カゲン**の月が昇った。（　　）
6 風呂の湯**カゲン**をみる。（　　）

7 友人に新居を**ヒロウ**する。（　　）
8 残業続きで**ヒロウ**がたまる。（　　）

9 兄は物**ヤワ**らかな人物だ。（　　）
10 どうにか怒りを**ヤワ**らげた。（　　）

2×5 /10

(七)

次の各文にまちがって使われている**同じ読みの漢字**が**一字**ある。**上に誤字**を、**下に正しい漢字**を記せ。

1 近所で窃盗事件が相次いで起こり注意を怠らなかったがちょっと目を放したあいだに自転車の前かごの荷物を盗まれてしまった。（　・　）

2 長年にわたり歴史を題材とした小説を書き続け文壇の重鎮として仰がれる作家に文化勲賞が授けられた。（　・　）

3 毎年夏になると全国で戦没者の追悼式が行われ戦争の尊い犠牲者に思いをはせ平和を記念した。（　・　）

4 衆議院議員補欠選挙が告示され世襲への批判を無視して引退した議員の長男が支援者に庸立されて立候補した。（　・　）

5 某国が新型弾道ミサイルの実戦配備を進めつつあるとの情報に周辺諸国は一様に警介を強めている。（　・　）

2×5 /10

(八)

次の――線の**カタカナ**を**漢字一字と送りがな(ひらがな)**に直せ。

〈例〉新学期が**ハジマル**。 始まる

1 ボールに**サワッ**て感覚を確かめる。（　）

2 犯した罪を**ツグナウ**。（　）

3 母校の名を**ハズカシメル**。（　）

4 兄は幼いころから**カシコカッ**た。（　）

5 注文を**ウケタマワル**。（　）

2 ×25

／50

(九) 次の――線のカタカナを漢字に直せ。

1 医療物資がコカツした。（　）
2 大学生活はジュウジツしている。（　）
3 問題が発生し行事をジシュクした。（　）
4 試合中止の判断は時期ショウソウだ。（　）
5 新車をゲップで買う。（　）
6 ゴウカな結婚式を挙げる。（　）
7 ジンソクに問題を処理する。（　）
8 今朝のチョウカは散々だった。（　）
9 五線紙にオンプを書き込む。（　）
10 カンキりで指先にケガをした。（　）
11 ベランダにフトンを干す。（　）
12 フクメン調査員として働く。（　）
13 敵をアザムいて勝つ。（　）
14 頭から本塁にスベり込む。（　）
15 ハずかしくて顔を上げられない。（　）
16 将来の夢を無残にクダかれた。（　）
17 フトコロに凶器をしのばせる。（　）
18 コウタは三味線音楽の一種だ。（　）
19 ノドに魚の小骨が刺さった。（　）
20 ホテルにコもって小説を書き上げる。（　）
21 眼鏡をマクラモトに置く。（　）
22 雨上がりにニジが出た。（　）
23 一寸のコウイン軽んずべからず。（　）
24 トウフにかすがい。（　）
25 イキドオりを発して食を忘る。（　）

本試験型

2級

第11回★テスト

〈60分〉

合計点

200点満点の　点

- 160点以上 合格
- 130点以上 もう一度学習を
- 100点以上 猛勉強が必要
- 99点以下 受検級を考え直しましょう

1×30

/30

(一) 次の――線の**漢字の読み**を**ひらがな**で記せ。

1 謙譲の美徳を示す。（　）
2 新しい閣僚の顔ぶれがそろった。（　）
3 舶来品は昔から珍重されてきた。（　）
4 転んで打撲傷を負った。（　）
5 寛厳よろしきを得た指導法だ。（　）
6 失言した国務大臣を更迭する。（　）
7 適度な午睡は健康によい。（　）
8 軒先に風鈴をつるす。（　）
9 温かい雰囲気の家庭を築く。（　）
10 殿試で間近く竜顔を拝す。（　）
11 寝室に遮光カーテンを付ける。（　）
12 山間に鉄道を敷設する。（　）
13 部下を激しい言葉で詰問する。（　）
14 宴会で上司にお追従を言う。（　）
15 物質的利益にばかり執着する。（　）
16 風情ある庭園を観賞する。（　）
17 この寺は平安時代に建立された。（　）
18 便箋を買いに文具店へ行く。（　）
19 元旦にお年玉をもらう。（　）
20 伝馬船で向こう岸に渡る。（　）
21 角を矯めて牛を殺す。（　）
22 地獄の沙汰も金次第。（　）

23 地域の祭りでお神楽を奉納する。（　　）
24 友人の質問に否と答える。（　　）
25 来週、若しくは再来週に伺いたい。（　　）
26 謀りごとにうまくかかった。（　　）
27 やっと危難を免れた。（　　）
28 昼食に天丼を食べる。（　　）
29 上司は謎の多い人物だ。（　　）
30 雨が上がると虹が出ていた。（　　）

1×10 /10

(二)

次の漢字の**部首**を記せ。

〈例〉 運〔辶〕 開〔門〕

1 塁（　　）
2 融（　　）
3 虜（　　）
4 羅（　　）
5 串（　　）
6 庸（　　）
7 竜（　　）
8 窯（　　）
9 累（　　）
10 戻（　　）

2×10 /20

(三)

熟語の構成のしかたには次のようなものがある。

ア 同じような意味の漢字を重ねたもの （**悲哀**）
イ 反対または対応の意味を表す字を重ねたもの （**増減**）
ウ 上の字が下の字を修飾しているもの （**厳禁**）
エ 下の字が上の字の目的語・補語になっているもの （**就職**）
オ 上の字が下の字の意味を打ち消しているもの （**不在**）

次の熟語は右の**ア**～**オ**のどれにあたるか、**一つ**選び、**記号**を記せ。

1 卵殻（　　）
2 包括（　　）

3 砕身（　　）

4 漆黒（　　）

5 克己（　　）

6 真偽（　　）

7 無尽（　　）

8 雅俗（　　）

9 納棺（　　）

10 帰還（　　）

(四)

問1/2 × 10
問2/2 × 5

／30

次の四字熟語について、問1と問2に答えよ。

問1 次の四字熟語の（1～10）に入る適切な語を後の□の中から選び、漢字二字で記せ。

ア 身体（1　　）

イ （2　　）絶佳

ウ 腐敗（3　　）

エ （4　　）善目

オ 雄心（5　　）

カ （6　　）自在

キ 月下（7　　）

ク （8　　）協同

ケ 勧善（9　　）

コ （10　　）妄動

けいきょ・じび・だらく・ちょうあく ちょうぼう・はっぷ・ひょうじん へんげん・ぼつぼつ・わちゅう

問2 次の11～15の意味にあてはまるものを問1のア～コの四字熟語から一つ選び、記号で答えよ。

11 男女の仲をとりもつ人。（　　）

12 思いのままにすばやく変化すること。（　　）

13 心を同じくして力を合わせること。（　　）

14 見晴らしがとてもよいこと。（　　）

15 規律や精神がたるみ乱れて、弊害が多く生ずる状態。（　　）

(五)

2×10 /20

次の1～5の**対義語**、6～10の**類義語**を後の□の中から選び、**漢字**で記せ。□の中の語は一度だけ使うこと。

対義語

1 凡百（　　）
2 過密（　　）
3 決裂（　　）
4 栄転（　　）
5 高慢（　　）

類義語

6 丈夫（　　）
7 気分（　　）
8 順次（　　）
9 根絶（　　）
10 忍耐（　　）

かそ・がんけん・かんにん・きげん
けんそん・させん・だけつ
ちくじ・ぼくめつ・ゆいいつ

(六)

2×10 /20

次の——線の**カタカナ**を**漢字**に直せ。

1 社会悪に**コウフン**を覚える。（　　）
2 新記録達成に**コウフン**する。（　　）
3 条約で化学**ヘイキ**を禁止する。（　　）
4 家族の名も**ヘイキ**する。（　　）
5 **ヘンショク**は健康を害する。（　　）
6 写真が**ヘンショク**する。（　　）
7 **ケイブ**のまなざしを注ぐ。（　　）
8 捜査主任官はベテラン**ケイブ**だ。（　　）
9 雨がさの**エ**が折れた。（　　）
10 幾**エ**にもお礼申し上げる。（　　）

2×5
/10

(七) 次の各文にまちがって使われている**同じ読みの漢字**が**一字**ある。**上に誤字**を、**下に正しい漢字**を記せ。

1 昨晩読み終えた小説は隠影に富んだ主人公の描写が印象的で友人たちにも推薦したい一冊である。
（　・　）

2 母が持病の虚血性心疾患のため専門病院に入院することになったが家族の常時付き沿いは不要とのことだ。
（　・　）

3 夏休みは都会の雑踏を逃れて高原の被暑地に別荘を借り魚釣りやカヌーでの急流下りを楽しみたい。
（　・　）

4 土砂崩れにより脱線して横転した列車から多数の負傷者を救出し担荷で最寄りの病院へ運んだ。
（　・　）

5 長年協議していた駅周辺の再開発が軌道に乗り大小の雑居ビルは整理されて今では高槽ビルが林立している。
（　・　）

2×5
/10

(八) 次の――線の**カタカナ**を**漢字一字と送りがな(ひらがな)**に直せ。

〈例〉 新学期が**ハジマル**。 始まる

1 夏も終わりやっと**スズシク**なった。（　）

2 返す返すも敗戦が**オシマレル**。（　）

3 言動を**ツツシン**で下さい。（　）

4 体力がすっかり**オトロエタ**。（　）

5 昔の思い出に**ヒタル**。（　）

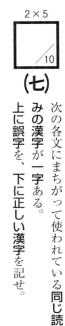

2×25

/50

(九)

次の――線のカタカナを漢字に直せ。

1 ショウセキは肥料の原料になる。（　）
2 教室のカビンに花を生ける。（　）
3 慢性的なヨウツウに悩まされている。（　）
4 竹はチカケイを地面に張り巡らす。（　）
5 テンガイ孤独の身となった。（　）
6 公園にキク人形が展示されている。（　）
7 司法カイボウの処置がとられた。（　）
8 領民にソゼイは重い負担だった。（　）
9 カンブに薬を塗る。（　）
10 農機具をナヤにしまう。（　）
11 友人の見解をコウテイする。（　）
12 ケンジュウの所持は認められない。（　）
13 不意の来客にアワててしまった。（　）
14 水平線に真っ赤な夕日がシズむ。（　）
15 宝石をちりばめたカンムリをかぶる。（　）
16 地中にウもれた土器を掘り出す。（　）
17 シブ柿を軒につるす。（　）
18 日ガサを差して出かける。（　）
19 三人の子宝にメグまれた。（　）
20 クズの根からはデンプンが取れる。（　）
21 池の底から水がワいている。（　）
22 自信のあった企画がツブれてしまった。（　）
23 鶴は千年、カメは万年。（　）
24 サルも木から落ちる。（　）
25 カベに耳あり、障子に目あり。（　）

本試験型

2級 第12回★テスト

〈60分〉

合計点

200点満点の　　点

- 160点以上 合格
- 130点以上 もう一度学習を
- 100点以上 猛勉強が必要
- 99点以下 受検級を考え直しましょう

1×30　　/30

(一) 次の――線の漢字の読みをひらがなで記せ。

1 全く自己顕示欲の強い人だ。（　　）
2 博物館で動物の剥製を展示する。（　　）
3 やかんで水を沸騰させる。（　　）
4 恩師夫妻の媒酌で結婚した。（　　）
5 和やかな雰囲気の中、談笑する。（　　）
6 極地探検から無事生還する。（　　）
7 あの先生に長年私淑している。（　　）
8 愉快なアニメ映画を見た。（　　）
9 不合格に発憤して猛勉強する。（　　）
10 将来に漠然とした不安を抱く。（　　）
11 死因は絞殺によるものだそうだ。（　　）
12 余生は全国を行脚しておくりたい。（　　）
13 払暁に出る始発電車に乗る。（　　）
14 大都会の摩天楼を仰ぐ。（　　）
15 父は律儀一方の人生を送った。（　　）
16 通夜は今日、告別式は明日だ。（　　）
17 成人式で正絹の着物を着る。（　　）
18 平安朝の後宮では女房文学が栄えた。（　　）
19 ヒョウの斑点模様は美しい。（　　）
20 冥王星は準惑星だ。（　　）
21 月一万円を書籍費に充てる。（　　）
22 仰せのとおりにいたします。（　　）

23 薬をのんで喉の痛みを鎮める。（　）
24 祭りの山車を飾りつける。（　）
25 最近目尻にシワが増えた。（　）
26 有り難いお言葉を賜った。（　）
27 窯元で焼き物の修業をする。（　）
28 動物園で虎を観察する。（　）
29 現場に血の痕が残っていた。（　）
30 入院中の姉に千羽鶴を届ける。（　）

(二)

1×10　/10

次の漢字の**部首**を記せ。

〈例〉運［辶］　開［門］

1 窟（　）
2 翁（　）
3 亜（　）
4 以（　）
5 凹（　）
6 寡（　）
7 吏（　）
8 兼（　）
9 韻（　）
10 虞（　）

(三)

2×10　/20

熟語の構成のしかたには次のようなものがある。

ア　同じような意味の漢字を重ねたもの　（**悲哀**）
イ　反対または対応の意味を表す字を重ねたもの　（**増減**）
ウ　上の字が下の字を修飾しているもの　（**厳禁**）
エ　下の字が上の字の目的語・補語になっているもの　（**就職**）
オ　上の字が下の字の意味を打ち消しているもの　（**不在**）

次の熟語は右の**ア〜オ**のどれにあたるか、**一つ**選び、**記号**を記せ。

1 銃創（　）
2 慶弔（　）

3 拒否（　　）
4 殺菌（　　）
5 未詳（　　）
6 擬似（　　）
7 送迎（　　）
8 公僕（　　）
9 解禁（　　）
10 謹慎（　　）

問1 /2×10
問2 /2×5
/30

（四）

次の**四字熟語**について、問1と問2に答えよ。

問1 次の**四字熟語**の（1～10）に入る適切な語を後の□の中から選び、**漢字二字**で記せ。

ア 本末（1　　）
イ （2　　）堅固
ウ 大悟（3　　）
エ （4　　）百出
オ 当意（5　　）
カ （6　　）吐気
キ 巧遅（7　　）
ク （8　　）潔白
ケ 汗牛（9　　）
コ （10　　）玉条

きんか・しそう・じゅうとう
せいれん・せっそく・そくみょう
てってい・てんとう・はたん・ようび

問2 次の11～15の**意味**にあてはまるものを問1の**ア～コの四字熟語**から**一つ**選び、**記号**で答えよ。

11 蔵書が非常に多いこと。（　　）
12 守るべき規則や法律のこと。（　　）
13 行いが清くやましいところがない。（　　）
14 主義や考えを変えないこと。（　　）
15 心の迷いを断ち切って真理をさとり、ふっきれた心境になること。（　　）

2×10
/20

(五) 次の1～5の**対義語**、6～10の**類義語**を後の□の中から選び、**漢字**で記せ。□の中の語は一度だけ使うこと。

対義語

1 建設（　　）
2 完訳（　　）
3 独唱（　　）
4 硬化（　　）
5 傑作（　　）

類義語

6 手足（　　）
7 核心（　　）
8 談判（　　）
9 愁傷（　　）
10 来歴（　　）

あいとう・がかい・こうしょう・しし
しょうやく・せいしょう・ださく・ちゅうすう
なんか・ゆいしょ

2×10
/20

(六) 次の——線の**カタカナ**を**漢字**に直せ。

1 見る人に**カンメイ**を与える映画だ。（　　）
2 **カンメイ**な文章を書く。（　　）

3 **ユウキュウ**の時の流れを感じる。（　　）
4 **ユウキュウ**休暇をとって海外に行く。（　　）

5 大小の**センパク**が港に出入りする。（　　）
6 **センパク**な考え方を反省する。（　　）

7 **カンボウ**長官に任命される。（　　）
8 流行性**カンボウ**にかかる。（　　）

9 習字の授業で**スミ**をする。（　　）
10 魚を焼く**スミ**火をおこす。（　　）

(七)

2×5 ／10

次の各文にまちがって使われている**同じ読みの漢字**が**一字**ある。**上に誤字**を、**下に正しい漢字**を記せ。

1 川の上流に仕掛けた網を期待に胸を躍らせながら見に行ったが小さな得物が一匹かかっているだけだった。（　・　）

2 司令部の命令を待たずに部隊の独断専行で無謀な敵前上陸を貫行し多数の兵士の命が失われた。（　・　）

3 豪華客船が航海中に暴風雨に遭って座傷したが乗組員及び乗客は全員救出され幸い死傷者はなかった。（　・　）

4 大事な優勝決定戦で初回の内野守備の緩漫な動作から相手に先取点を許し、敗戦の原因を作った。（　・　）

5 江戸幕府は政権の安定のため需学のうち上下の秩序を重視する朱子学を正学と定め奨励した。（　・　）

(八)

2×5 ／10

次の――線の**カタカナ**を**漢字一字と送りがな(ひらがな)**に直せ。

〈例〉新学期が**ハジマル**。［始まる］

1 議長に採決を**ウナガス**。（　）

2 いたずらして**ニクラシイ**子だ。（　）

3 その場をうまく取り**ツクロウ**。（　）

4 **アザヤカ**な一本勝ちだった。（　）

5 死者は手厚く**ホウムラ**れた。（　）

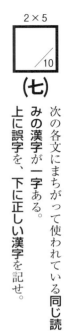

2 ×25

/50

(九)

次の——線のカタカナを漢字に直せ。

1 淡水にいるソウルイの研究をする。（　　）
2 友人の質問にアイマイな返事をする。（　　）
3 リュウサンを使った実験を行う。（　　）
4 リンリに反する行動は許されない。（　　）
5 相手チームのキハクに押される。（　　）
6 大安キチジツに式を挙げる。（　　）
7 商店街のサイマツ大売り出しが始まった。（　　）
8 社会チツジョは守らなければならない。（　　）
9 カソの村の医師になった。（　　）
10 合格祈願のエマを奉納する。（　　）
11 判決を不服として即日コウソした。（　　）
12 山中にキリがたちこめる。（　　）
13 給料は二十日にシめて月末に払う。（　　）
14 やぶをつついたらヘビが出てきた。（　　）
15 市民の手で文化祭をモヨオす。（　　）
16 あの時は思わずキモを冷やした。（　　）
17 トムラいの行列に加わる。（　　）
18 ニシキゴイの品評会に参加する。（　　）
19 近所にハツモウデに出かける。（　　）
20 橋脚を立てた上にハシゲタを渡す。（　　）
21 犬に犯人の臭いをカがせる。（　　）
22 祖父にいたずらを叱られコりた。（　　）
23 馬には乗ってみよ。人にはソうてみよ。（　　）
24 血は水よりもコい。（　　）
25 背水のジンを敷く。（　　）

本試験型

2級

第13回★テスト

〈60分〉

合計点

200点満点の
　　点

- 160点以上
合格
- 130点以上
もう一度学習を
- 100点以上
猛勉強が必要
- 99点以下
受検級を考え直しましょう

1×30
／30

(一)

次の——線の**漢字の読み**を**ひらがな**で記せ。

1 政敵の粛清はひた隠しにされていた。（　）
2 学長判断で諭旨退学処分となった。（　）
3 弥生土器が家の庭で見つかった。（　）
4 激しい派閥争いをくり広げる。（　）
5 亡くなった俳優の追悼公演が行われた。（　）
6 ワカメは海藻の一種である。（　）
7 お抹茶と和菓子をいただく。（　）
8 維新の功臣が叙爵された。（　）
9 出版社を名誉毀損で訴える。（　）
10 旗艦に司令官が乗り込んだ。（　）

11 地主が小作人を搾取する。（　）
12 上司に向かって横柄な口をきく。（　）
13 現金出納帳をつける。（　）
14 二十歳未満の飲酒はご法度だ。（　）
15 霊験あらたかな神社にお参りする。（　）
16 徳の高い上人の法話を聴く。（　）
17 追放されて諸国を流浪する。（　）
18 この作家は比喩表現がうまい。（　）
19 役人が賄賂を受け取り捕まる。（　）
20 人形浄瑠璃の歴史を学ぶ。（　）
21 愁い顔の母を慰める。（　）
22 露の滴りを指先に受ける。（　）

23 そこに立つ看板が目障りだ。（　）
24 父もすっかり老け込んだ。（　）
25 何となく春の息吹が感じられる。（　）
26 苦手な人を見かけ物陰に隠れる。（　）
27 下手な謡を聞かされて閉口した。（　）
28 永遠の愛を契り交わす。（　）
29 藍色の服を好んで着る。（　）
30 突如として砂嵐が発生した。（　）

(二) 1×10 /10

次の漢字の**部首**を記せ。

〈例〉 運 〔辶〕　開 〔門〕

1 致（　）
2 閑（　）
3 嚇（　）
4 何（　）
5 且（　）
6 奥（　）
7 殻（　）
8 乞（　）
9 頑（　）
10 患（　）

(三) 2×10 /20

熟語の構成のしかたには次のようなものがある。

ア 同じような意味の漢字を重ねたもの　（**悲哀**）
イ 反対または対応の意味を表す字を重ねたもの　（**増減**）
ウ 上の字が下の字を修飾しているもの　（**厳禁**）
エ 下の字が上の字の目的語・補語になっているもの　（**就職**）
オ 上の字が下の字の意味を打ち消しているもの　（**不在**）

次の熟語は右の**ア**～**オ**のどれにあたるか、**一つ**選び、**記号**を記せ。

1 若駒（　）
2 詔勅（　）

3 無敵（　　）

4 遷都（　　）

5 賢愚（　　）

6 献金（　　）

7 攻守（　　）

8 苦衷（　　）

9 碁盤（　　）

10 愉悦（　　）

問1/2 × 10
問2/2 × 5

/30

(四)

次の**四字熟語**について、問1と問2に答えよ。

問1 次の**四字熟語**の（1〜10）に入る適切な語を後の□の中から選び、**漢字二字**で記せ。

ア 理非（1　　）

イ （2　　）衝天

ウ 小心（3　　）

エ （4　　）止水

オ 堅忍（5　　）

カ （6　　）無稽

キ 片言（7　　）

ク （8　　）不滅

ケ 悪事（9　　）

コ （10　　）平等

おんしん・きょくちょく・こうとう
せきご・せんり・どはつ・ふばつ
めいきょう・よくよく・れいこん

問2 次の11〜15の**意味**にあてはまるものを問1の**ア〜コの四字熟語**から**一つ**選び、**記号**で答えよ。

11 澄みきって落ち着いている心の形容。（　　）

12 肉体の死後もたましいは存在する。（　　）

13 物事の善悪・正不正のこと。（　　）

14 激しくいかること。（　　）

15 ほんの僅かな言葉。（　　）

第13回

(五)

2×10　/20

次の1～5の**対義語**、6～10の**類義語**を後の□の中から選び、**漢字**で記せ。□の中の語は一度だけ使うこと。

対義語

1 辛勝（　）
2 合致（　）
3 愚鈍（　）
4 芳香（　）
5 不足（　）

類義語

6 工事（　）
7 面倒（　）
8 停滞（　）
9 誠実（　）
10 疎外（　）

あくしゅう・いつだつ・じゅうたい
しゅんびん・しんし・せきはい・はいせき
ふしん・やっかい・よじょう

(六)

2×10　/20

次の――線の**カタカナ**を**漢字**に直せ。

1 **セイリョウ**飲料で喉を潤す。（　）
2 とても**セイリョウ**豊かな歌手だ。（　）
3 野球の**ルイシン**を務める。（　）
4 所得税は**ルイシン**税だ。（　）
5 日本画に**ラッカン**を押す。（　）
6 **ラッカン**的な見方をする。（　）
7 古いビルを**カイタイ**する。（　）
8 公金を**カイタイ**する。（　）
9 家の周りを**ハ**き清める。（　）
10 底の厚い靴を**ハ**く。（　）

2×5
/10

(七)

次の各文にまちがって使われている**同じ読みの漢字**が**一字**ある。
上に誤字を、**下に正しい漢字**を記せ。

1 狭義の密約とは国家間で締結される条約や協定などにおいて文書に記されながら秘密にされている部分の事をいう。（ ・ ）

2 隅像崇拝を否定する思想のためアジアの紛争地帯で貴重な仏像が破壊される事態が起こった。（ ・ ）

3 日本人の食生活は国際色を増し珍しい食材を使用して工夫を懲らした創作料理を供する店が増えている。（ ・ ）

4 国会議員の政治資金に関する疑惑は史直の手にゆだねられ刑事上の責任が問われる事態となった。（ ・ ）

5 海洋深層水はミネラルに富み雑菌が少ないという特質を持ちアワビなどの養植に利用されている。（ ・ ）

2×5
/10

(八)

次の――線の**カタカナ**を**漢字一字と送りがな(ひらがな)**に直せ。

〈例〉 新学期が**ハジマル**。 始まる

1 花も**ハジラウ**ほど美しい。（ ）

2 スピーチを**ミジカク**済ます。（ ）

3 戦死者を念入りに**トムラッ**た。（ ）

4 非常食を**タクワエ**ておく。（ ）

5 **メズラシイ**土産物をいただく。（ ）

（九）

2×25　／50

次の――線のカタカナを漢字に直せ。

1 山間部に飛行機がツイラクする。（　　）
2 オショウさんの法話を聴く。（　　）
3 父が祖父のマツゴの水をとった。（　　）
4 姉は神社でシュウゲンを挙げた。（　　）
5 姉のミリョクに皆がひかれる。（　　）
6 うっかり相手のチョウハツに乗った。（　　）
7 時間にヨユウを持たせて出かける。（　　）
8 この度の事故をイカンに思う。（　　）
9 祖父は心身共にソウケンだ。（　　）
10 コンチュウ図鑑を図書館で借りた。（　　）
11 北欧のビャクヤを体験する。（　　）
12 モチュウにつき年賀を欠礼する。（　　）
13 領収証にタダし書きを付ける。（　　）
14 ダマって相手の言い分を聞く。（　　）
15 有史以来ホロびた国は数多い。（　　）
16 公園の池の魚にエサをやる。（　　）
17 両親におウカガいを立てる。（　　）
18 標的にネラいを定め引き金を引く。（　　）
19 庭木にツぎ木を施す。（　　）
20 ハナハだ迷惑な話だ。（　　）
21 自分の罪をしっかりとツグナう。（　　）
22 将棋のコマと盤を持ち歩く。（　　）
23 ツメに火を点《とも》す。（　　）
24 ヨイゴしの金は持たぬ。（　　）
25 暗闇のテッポウ。（　　）

本試験型

2級 第14回★テスト

〈60分〉

合計点

200点満点の

点

- 160点以上 合格
- 130点以上 もう一度学習を
- 100点以上 猛勉強が必要
- 99点以下 受検級を考え直しましょう

1×30

/30

(一) 次の――線の**漢字の読み**を**ひらがな**で記せ。

1 大勢で取り囲んで糾弾する。（　）
2 大学での履修科目を決める。（　）
3 事故により信用を失墜する。（　）
4 入社に際して誓約書を書く。（　）
5 孔子は儒家の祖だ。（　）
6 誤解されて偽善者呼ばわりされる。（　）
7 執行猶予付きの判決が出た。（　）
8 市町村合併で地図をかきかえる。（　）
9 京の町割りは碁盤の目のようだ。（　）
10 この品物の頒価は千円だ。（　）
11 乾酪とはチーズの漢名だ。（　）
12 焼酎を水で割って飲む。（　）
13 相手チームの猛攻に惨敗を喫した。（　）
14 町医者として市井に暮らす。（　）
15 儀式は荘厳に執り行われた。（　）
16 全体会議の音頭をとる。（　）
17 紡織業の経営が厳しい。（　）
18 緑青をふいた屋根が美しい。（　）
19 拉致被害者の帰りを待つ。（　）
20 椎間板ヘルニアの手術をした。（　）
21 若くして亡くなった友の死を悼む。（　）
22 夏の夜空に星が瞬く。（　）

23 海女が巧みに海に潜る。（　）
24 数寄屋造りの離れを建てる。（　）
25 面当てに皮肉を言う。（　）
26 縁の無い帽子をかぶる。（　）
27 複雑な要因が絡まっている。（　）
28 湧き水を水筒に入れて持ち帰る。（　）
29 ウナギに串を打つ。（　）
30 弟は爽やかな青年に育った。（　）

1×10

（二） 次の漢字の**部首**を記せ。

〈例〉 運〔辶〕 開〔門〕

1 憲（　）
2 窮（　）
3 幹（　）
4 琴（　）
5 巾（　）
6 為（　）
7 蛍（　）
8 勲（　）
9 了（　）
10 享（　）

2×10

（三） **熟語の構成**のしかたには次のようなものがある。

ア 同じような意味の漢字を重ねたもの　（**悲哀**）
イ 反対または対応の意味を表す字を重ねたもの　（**増減**）
ウ 上の字が下の字を修飾しているもの　（**厳禁**）
エ 下の字が上の字の目的語・補語になっているもの　（**就職**）
オ 上の字が下の字の意味を打ち消しているもの　（**不在**）

次の熟語は右の**ア〜オ**のどれにあたるか、**一つ**選び、**記号**を記せ。

1 収賄（　）
2 詐欺（　）

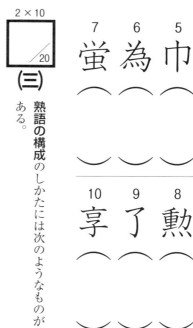

3 直訴（　　）
4 乾湿（　　）
5 懇願（　　）
6 雌雄（　　）
7 未納（　　）
8 油脂（　　）
9 独酌（　　）
10 添削（　　）

問1/2 × 10
問2/2 × 5
／30

（四）

次の**四字熟語**について、問1と問2に答えよ。

問1 次の**四字熟語**の（1〜10）に入る適切な語を後の□の中から選び、**漢字二字**で記せ。

ア 抜山（1　　）
イ （2　　）連理
ウ 百家（3　　）
エ （4　　）破帽
オ 氷消（5　　）
カ （6　　）毀釈
キ 神出（7　　）
ク （8　　）不覚
ケ 一陽（9　　）
コ （10　　）努力

がいせい・がかい・きぼつ・そうめい・はいぶつ・ひよく・ふへん・ふんれい・へいい・らいふく

問2 次の11〜15の**意味**にあてはまるものを問1の**ア〜コの四字熟語**から**一つ**選び、**記号**で答えよ。

11 中立・公平な立場をとること。（　　）
12 すばやくかくれたり現れたりすること。（　　）
13 男女が仲むつまじいこと。（　　）
14 見てくれに気を使わないさま。（　　）
15 苦しい時期が過ぎて幸福がめぐりくること。（　　）

(五)

2×10 ／20

次の1〜5の**対義語**、6〜10の**類義語**を後の□の中から選び、**漢字**で記せ。□の中の語は一度だけ使うこと。

対義語

1 緩慢（　　）
2 違反（　　）
3 枝葉（　　）
4 凝固（　　）
5 本筋（　　）

類義語

6 位階（　　）
7 隆盛（　　）
8 封鎖（　　）
9 明暗（　　）
10 基地（　　）

かふく・きょてん・くんとう・こんけい
しゃだん・じゅんしゅ・じんそく
そうわ・ぼっこう・ゆうかい

(六)

2×10 ／20

次の――線の**カタカナ**を**漢字**に直せ。

1 金額の**タカ**を問わない。（　　）
2 **タカ**の医師を紹介する。（　　）
3 事件の**カチュウ**に巻き込まれる。（　　）
4 **カチュウ**のくりを拾う。（　　）
5 陛下に**エッケン**を申し出る。（　　）
6 **エッケン**行為を禁止する。（　　）
7 子供の**タイイ**を測定する。（　　）
8 海軍**タイイ**に昇進する。（　　）
9 **カゲ**も形もない。（　　）
10 **カゲ**で糸を引く。（　　）

2×5

/10

(七)

次の各文にまちがって使われている**同じ読みの漢字**が**一字**ある。**上に誤字**を、**下に正しい漢字**を記せ。

1 この島の気候は沿岸部は温暖で小雨であるが、山岳部は冷涼多雨で冬は積雪が見られるなど極めて対称的である。（　・　）

2 米国や日本などの医療先進国で院内感染が増加しているが坑生物質が効かない例が多いという。（　・　）

3 立夏は二十四節季の一つで春分と夏至の中間に当たり現行の太陽暦では五月六日頃とされる。（　・　）

4 著作権は他の多くの権利と同様、法律で保護の般囲や対象などを規定しているが国ごとに具体的な様態が異なる。（　・　）

5 器械体操が苦手なため鉄棒での肩垂運動を毎日の日課として繰り返し腕力を鍛えることに努めた。（　・　）

2×5

/10

(八)

次の――線の**カタカナ**を**漢字一字と送りがな(ひらがな)**に直せ。

〈例〉新学期が**ハジマル**。 始まる

1 **ムズカシイ**問題を解決する。（　）

2 雨が**シタタリ**落ちる。（　）

3 前作を**フマエ**て執筆する。（　）

4 身が引き**シマル**思いがする。（　）

5 犯人が見**ノガサ**れてしまった。（　）

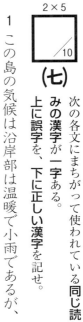

2×25

/50

(九) 次の――線のカタカナを漢字に直せ。

1 **ヤクドシ**なので体調に気を付ける。（　　）
2 相手国と**ホリョ**の交換を行う。（　　）
3 兄は**タンテイ**事務所に就職した。（　　）
4 日本酒の**ジョウゾウショ**を見学した。（　　）
5 **コウテイ**ペンギンの生態を調べる。（　　）
6 リスが**トウミン**の準備をしている。（　　）
7 試験に備えて**テツヤ**で勉強する。（　　）
8 殺人事件の**ソウサ**本部が設置された。（　　）
9 **ガンコ**な父だが尊敬している。（　　）
10 大声で**バンザイ**を三唱する。（　　）
11 仕事で全国を**アンギャ**する。（　　）
12 試験中に鉛筆の**シン**が折れる。（　　）
13 悪さをした子供を**コ**らしめる。（　　）
14 亡き人を今も**シタ**う。（　　）
15 黄金色の**イナホ**を刈り取る。（　　）
16 雪解けの**ドロ**道を歩く。（　　）
17 食パンとハムを**ウス**く切る。（　　）
18 駅前の**ユル**やかな坂を下る。（　　）
19 頂上から眼下の景色を**ナガ**める。（　　）
20 ゴールに向かってボールを**ケ**る。（　　）
21 **ツバ**はアミラーゼを含んでいる。（　　）
22 探知機で魚の群れを**トラ**える。（　　）
23 故郷に**ニシキ**を飾る。（　　）
24 **サワ**らぬ神にたたり無し。（　　）
25 寸鉄人を**サ**す。（　　）

本試験型

2級 第15回★テスト

〈60分〉

合計点

200点満点の　　点

- 160点以上 合格
- 130点以上 もう一度学習を
- 100点以上 猛勉強が必要
- 99点以下 受検級を考え直しましょう

1×30　／30

(一) 次の――線の漢字の読みをひらがなで記せ。

1 親友は俊足を誇るランナーだ。（　　）
2 国境は封建諸侯に支配されている。（　　）
3 戦場に硝煙がたちこめる。（　　）
4 虜囚として強制労働させられる。（　　）
5 二国間で通商条約を批准する。（　　）
6 直披文書を受け取った。（　　）
7 実家の板塀が朽ちかけている。（　　）
8 病院の泌尿器科を受診する。（　　）
9 実の息子より女婿と気が合う。（　　）
10 心神耗弱により判断能力が低下した。（　　）
11 子供用の玩具を買う。（　　）
12 家庭菜園のために種苗を買う。（　　）
13 宮廷で皇帝に伺候する。（　　）
14 納戸に古い着物をしまう。（　　）
15 庫裏の方に人の気配がする。（　　）
16 教会で頭を垂れて礼拝する。（　　）
17 仕事を怠けて惰眠をむさぼる。（　　）
18 医師から貼付剤を処方される。（　　）
19 姉は飼い猫を溺愛している。（　　）
20 正月に親戚一同が集まる。（　　）
21 水晶の数珠をつまぐる。（　　）
22 祭りの稚児行列がかわいい。（　　）

23 弓の弦を張り替える。（　）

24 兵士が帽子を目深にかぶる。（　）

25 聖人の神神しい姿を夢に見た。（　）

26 同僚の失敗を嘲る。（　）

27 重要事項を専門委員に諮る。（　）

28 姉はこの秋に遠方へ嫁ぐ。（　）

29 爪先を開いて立つ。（　）

30 棟木と柱が家を支える。（　）

(二)

1×10　／10

次の漢字の**部首**を記せ。

〈例〉運〔辶〕　開〔門〕

1 呉（　）

2 興（　）

3 昆（　）

4 耗（　）

5 衡（　）

6 繭（　）

7 羨（　）

8 酷（　）

9 井（　）

10 甘（　）

(三)

2×10　／20

熟語の構成のしかたには次のようなものがある。

ア 同じような意味の漢字を重ねたもの　**（悲哀）**

イ 反対または対応の意味を表す字を重ねたもの　**（増減）**

ウ 上の字が下の字を修飾しているもの　**（厳禁）**

エ 下の字が上の字の目的語・補語になっているもの　**（就職）**

オ 上の字が下の字の意味を打ち消しているもの　**（不在）**

次の熟語は右の**ア〜オ**のどれにあたるか、**一つ**選び、**記号**を記せ。

1 銃弾（　）

2 酪農（　）

3 不浄（　　）
4 美醜（　　）
5 消臭（　　）
6 叱責（　　）
7 逝去（　　）
8 矛盾（　　）
9 墨汁（　　）
10 譲位（　　）

問1/2×10
問2/2×5

/30

(四)

次の**四字熟語**について、問1と問2に答えよ。

問1 次の**四字熟語**の（1～10）に入る適切な語を後の□の中から選び、**漢字二字**で記せ。

ア 泰山（1　　）
イ（2　　）惑衆
ウ 一目（3　　）
エ（4　　）独尊
オ 国士（5　　）
カ（6　　）無人
キ 誇大（7　　）
ク（8　　）西走
ケ 快刀（9　　）
コ（10　　）閑閑

とうほん・ぼうじゃく・ほくと・むそう
もうそう・ゆいが・ゆうゆう
ようげん・らんま・りょうぜん

問2 次の11～15の**意味**にあてはまるものを問1のア～コの**四字熟語**から**一つ**選び、**記号**で答えよ。

11 二人といないすぐれた人物。（　　）
12 人目をはばからず勝手にふるまう。（　　）
13 実際よりおおげさに考え思い込む。（　　）
14 ひとりよがり。（　　）
15 その道の大家として仰がれる人物。（　　）

2×10

/20

(五)

次の1〜5の**対義語**、6〜10の**類義語**を後の□の中から選び、**漢字**で記せ。□の中の語は一度だけ使うこと。

対義語

1 取得（　　）
2 偏狭（　　）
3 抑制（　　）
4 飽食（　　）
5 偉大（　　）

類義語

6 終生（　　）
7 指揮（　　）
8 断言（　　）
9 朝見（　　）
10 所持（　　）

かっぱ・かんしょう・かんだい・きが
けいたい・さいはい・しょうがい・そうしつ
はいえつ・ぼんよう

2×10

/20

(六)

次の――線の**カタカナ**を**漢字**に直せ。

1 実力を**イカン**無く発揮する。（　　）
2 業務を他部署に**イカン**する。（　　）
3 **ケッカン**車の整備をする。（　　）
4 **ケッカン**に静脈注射をする。（　　）
5 大勢の家族を**フヨウ**する。（　　）
6 景気を**フヨウ**する政策をとる。（　　）
7 **カクシン**をつく質問をする。（　　）
8 被告人の無実を**カクシン**する。（　　）
9 あまりの暑さで喉が**カワ**く。（　　）
10 晴れの日が続き空気が**カワ**く。（　　）

2×5　　/10

(七)

次の各文にまちがって使われている**同じ読みの漢字が一字**ある。**上に誤字**を、**下に正しい漢字**を記せ。

1 様々な物品を展示する博覧会は革命期のパリで初めて開催された後規募が拡大して国際的になった。（　・　）

2 介護保険制度が徐徐に浸透していき高齢者が安心して生活できる社会福施の一層の充実を願う。（　・　）

3 定年後の過ごし方について趣味だけでなく俸仕活動などを通じた地域社会への参加なども話題に上った。（　・　）

4 裁判によって確定した刑罰を即位の礼などに合わせて行政権により免除したり軽くしたりすることを恩謝という。（　・　）

5 人間国宝に指定された工芸家の作品展を見に出掛けたが慈味豊かで心が洗われる名品ばかりであった。（　・　）

2×5　　/10

(八)

次の——線の**カタカナ**を**漢字一字と送りがな(ひらがな)**に直せ。

〈例〉新学期が**ハジマル**。　始まる

1 健全な心身を**ツチカウ**。（　　）

2 最後まであきらめずに**ネバル**。（　　）

3 株価暴落で損害を**コウムッ**た。（　　）

4 **ワズラワシイ**手続きを終えた。（　　）

5 危険を**トモナウ**手術を受ける。（　　）

2×25

／50

（九）次の――線のカタカナを漢字に直せ。

1 弟はアリの行列に興味**シンシン**だ。（　）
2 畑の作物が**ソウガイ**にあった。（　）
3 上官に状況を**チクイチ**報告する。（　）
4 仕事の**シンチョク**を確認する。（　）
5 落石が行く手を**ボウガイ**している。（　）
6 **キッサ**店でコーヒーを飲む。（　）
7 米国行きの飛行機に**トウジョウ**する。（　）
8 油断して**キュウチ**に追い込まれた。（　）
9 戸籍**ショウホン**を取り寄せる。（　）
10 温室でバラを**サイバイ**する。（　）
11 本来の目的から**イツダツ**している。（　）
12 **トバク**で身を滅ぼす。（　）
13 **クル**ったように風が吹いている。（　）
14 明日から天気は**クズ**れるそうだ。（　）
15 **カミ**の毛を明るい色に染める。（　）
16 旅行費用には食費も**フク**まれている。（　）
17 試合に勝ち**コブシ**を突き上げる。（　）
18 風でブランコが**ユ**れる。（　）
19 母校の名誉を**ケガ**してはならない。（　）
20 **フジダナ**の下で休む。（　）
21 **ダレ**もがその地位に就くことを望む。（　）
22 夢を**アキラ**めて家業を継ぐ。（　）
23 青は**アイ**より出《い》でてアイより青し。（　）
24 **ニ**え湯を飲まされる。（　）
25 **サキ**んずれば人を制す。（　）

本試験型

2級

第16回★テスト

〈60分〉

合計点

200点満点の

点

- 160点以上
  合格
- 130点以上
  もう一度学習を
- 100点以上
  猛勉強が必要
- 99点以下
  受検級を考え直しましょう

1×30

/30

(一) 次の――線の**漢字の読み**を**ひらがな**で記せ。

1 貴重な資料の散逸を防ぐ。（　　）
2 政治家が舌禍事件を引き起こす。（　　）
3 皆の前で入寮の挨拶をする。（　　）
4 板書の要点を括弧でくくる。（　　）
5 時宜を得た処置であると褒められた。（　　）
6 友人は漆黒の髪が美しい。（　　）
7 打つ手なくもはや諦観の境地だ。（　　）
8 出生率が逓減している。（　　）
9 まるで厄日のような一日だった。（　　）
10 他人の物を窃取して逮捕される。（　　）
11 松や稲は風媒花である。（　　）
12 お世話になった故人に哀悼の意を表す。（　　）
13 空港に検疫所を設ける。（　　）
14 政治家が収賄の罪に問われる。（　　）
15 物別れに終わり憤然として席を立つ。（　　）
16 枢軸国同士で条約を結ぶ。（　　）
17 バターを湯煎にかけて溶かす。（　　）
18 川が氾濫して堤防が決壊した。（　　）
19 汎用ヘリコプターで救助する。（　　）
20 人類は哺乳類の一種である。（　　）
21 隣国の領土を併せる。（　　）
22 腹を決め潔い決心をする。（　　）

23 語学に秀でた人材を探す。（　）

24 もう夜もだいぶ更けた。（　）

25 弟達の前では惨めな姿を見せたくない。（　）

26 暖かくなって鶴が飛び立つ。（　）

27 頭を下げて許しを請う。（　）

28 友人を議長候補として薦める。（　）

29 良い兆しが現れた。（　）

30 蜂を使って受粉をさせる。（　）

1×10　／10

(二)

次の漢字の**部首**を記せ。

〈例〉 運〔辶〕　開〔門〕

1 尉（　）

2 彰（　）

3 誓（　）

4 芯（　）

5 端（　）

6 界（　）

7 款（　）

8 丘（　）

9 甲（　）

10 契（　）

2×10　／20

(三)

熟語の構成のしかたには次のようなものがある。

ア 同じような意味の漢字を重ねたもの　（**岩石**）

イ 反対または対応の意味を表す字を重ねたもの　（**高低**）

ウ 上の字が下の字を修飾しているもの　（**洋画**）

エ 下の字が上の字の目的語・補語になっているもの　（**着席**）

オ 上の字が下の字の意味を打ち消しているもの　（**不在**）

次の熟語は右の**ア～オ**のどれにあたるか、**一つ**選び、**記号**を記せ。

1 仙境（　）

2 発泡（　）

3 未詳（　）
4 漸進（　）
5 庶務（　）
6 更迭（　）
7 衆寡（　）
8 羅列（　）
9 親疎（　）
10 享楽（　）

問1/2 × 10
問2/2 × 5

/30

(四)

次の**四字熟語**について、問1と問2に答えよ。

問1 次の**四字熟語**の（1～10）に入る適切な語を後の□の中から選び、**漢字二字**で記せ。

ア 率先（1）
イ（2）扇動
ウ 唯唯（3）
エ（4）一遇
オ 進取（5）
カ（6）還郷
キ 羊質（7）
ク（8）万里
ケ 合従（9）
コ（10）剛健

いきん・うんでい・かかん・きょうさ
こひ・しつじつ・すいはん・せんざい
だくだく・れんこう

問2 次の11～15の**意味**にあてはまるものを問1のア～コの**四字熟語**から**一つ**選び、**記号**で答えよ。

11 隔たりが非常に大きいこと。（　）
12 積極性があり、決断力に富むこと。（　）
13 そそのかして、あおり立てること。（　）
14 逆らわず言いなりになること。（　）
15 またとないよい機会。（　）

2×10 /20

(五)

次の1～5の**対義語**、6～10の**類義語**を後の□の中から選び、**漢字**で記せ。□の中の語は一度だけ使うこと。

対義語

1 反抗（　　）
2 国産（　　）
3 無能（　　）
4 緩慢（　　）
5 朝日（　　）

類義語

6 無欠（　　）
7 貧困（　　）
8 傾倒（　　）
9 巡礼（　　）
10 歓喜（　　）

かんぺき・きゅうぼう・しゃよう・しんすい
じんそく・にんじゅう・はくらい・びんわん
へんろ・ゆえつ

2×10 /20

(六)

次の――線の**カタカナ**を**漢字**に直せ。

1 **フカ**価値の高い商品を売る。（　　）
2 住民税を**フカ**する。（　　）
3 **ケンキョ**な人柄に好感を抱く。（　　）
4 容疑者を**ケンキョ**する。（　　）
5 劇団を**シュサイ**する。（　　）
6 町の**シュサイ**で文化祭を行う。（　　）
7 外交使節が**セッショウ**に努める。（　　）
8 幼帝の**セッショウ**を務める。（　　）
9 安否を**タズ**ねる手紙を送る。（　　）
10 挨拶のため隣家を**タズ**ねる。（　　）

2×5

/10

(七)

次の各文にまちがって使われている**同じ読みの漢字**が**一字**ある。**上に誤字**を、**下に正しい漢字**を記せ。

1 お盆期間中に日本各地で行われる夏の風物詩の盆踊りは先祖を句養する念仏踊りが始原とされている。（　・　）

2 体力を消耗しがちな夏期は規則正しい生活で自立神経を正常に機能させ安眠できる環境を作ることが大切である。（　・　）

3 戦後の高度経済成長が自然を破壊し生活環境を興廃させ公害を引き起こした一面を持つことは否定できない。（　・　）

4 三段論法はアリストテレスが整備したもので大前提・小前提・結論の三つの銘題から成る推論規則である。（　・　）

5 企業の中賢社員として活躍が期待され始めた時期だけに部下の突然の退職に周囲は驚かされた。（　・　）

2×5

/10

(八)

次の――線の**カタカナ**を**漢字一字と送りがな(ひらがな)**に直せ。

〈例〉 新学期が**ハジマル**。　始まる

1 誤解も**ハナハダシイ**。（　）

2 海に**モグッ**て貝を採る。（　）

3 **オロカシイ**間違いだった。（　）

4 指をドアに**ハサマレ**た。（　）

5 犯した罪を**ツグナウ**。（　）

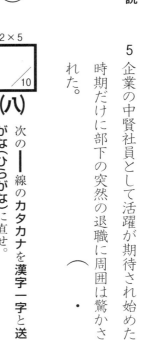

2×25

/50

(九) 次の——線のカタカナを漢字に直せ。

1 ガクフを持って音楽室へ向かう。（　　）
2 殿様からホウビを賜る。（　　）
3 カダンの雑草を抜く。（　　）
4 最近スイミン時間が足りていない。（　　）
5 漢詩はキャクインがそろっている。（　　）
6 厳格な師のクントウを受ける。（　　）
7 辞書の使用前にハンレイを読む。（　　）
8 その決断は後世にカコンを残す。（　　）
9 夏休みに家族でベッソウへ出かけた。（　　）
10 森林バッサイ計画を立てる。（　　）
11 不義理をして友人にケイベツされる。（　　）
12 人生のハンリョを選ぶ。（　　）
13 亡命するために密航をクワダてる。（　　）
14 タクみな話術で人気を博す。（　　）
15 上着の胸元に花を一輪サす。（　　）
16 形見をハダミ離さず大切にする。（　　）
17 傷口に薬をスりこんだ。（　　）
18 教授に卒業論文の添削をコうた。（　　）
19 初志をツラヌき通す。（　　）
20 独り故郷を離れマクラをぬらす。（　　）
21 ハシの持ち方を注意される。（　　）
22 ガケの上から周囲を見渡す。（　　）
23 カタワらに人無きがごとし。（　　）
24 カイガラで海を量る。（　　）
25 挨拶は時のウジガミ。（　　）

本試験型

2級

第17回★テスト

〈60分〉

合計点

200点満点の

点

- 160点以上 合格
- 130点以上 もう一度学習を
- 100点以上 猛勉強が必要
- 99点以下 受検級を考え直しましょう

1×30

/30

(一) 次の――線の漢字の読みをひらがなで記せ。

1 相手の目を見て挨拶する。（　）
2 災害時は軽挙妄動を慎む。（　）
3 職場の上司が媒酌の労をとる。（　）
4 焼き物の窯変の美を楽しむ。（　）
5 世の一隅でひっそりと暮らす。（　）
6 妹は就職活動に奔走している。（　）
7 このところ地震が頻発している。（　）
8 神社の幣殿を清める。（　）
9 朝廷より従二位に叙せられる。（　）
10 忠臣が謀反の罪に問われる。（　）
11 束の間の閑暇を楽しむ。（　）
12 自由な生活を享受する。（　）
13 自動車の後輪が側溝に落ちた。（　）
14 人相が犯人に酷似している。（　）
15 軍の統帥権を掌握する。（　）
16 寡聞にして存じません。（　）
17 浅学非才の身で恐縮です。（　）
18 あまりに凡庸な人物だ。（　）
19 美しい容貌をしている。（　）
20 事件の概要を知り戦慄する。（　）
21 危険を冒して前進する。（　）
22 軽薄な友人を疎んじる。（　）

23 難しい問題を抱えている。（　　）

24 肺炎を患って寝込む。（　　）

25 自らを戒めて行動する。（　　）

26 在庫が残り僅かしかない。（　　）

27 リスは頬袋に食べ物を貯める。（　　）

28 花の蜜が虫を誘う。（　　）

29 ご出席の由、承りました。（　　）

30 城に籠もって援軍を待つ。（　　）

1×10　／10

(二)

次の漢字の**部首**を記せ。

〈例〉 運 ［⻌］　開 ［門］

1 戻（　　）

2 寧（　　）

3 幽（　　）

4 卑（　　）

5 弄（　　）

6 妄（　　）

7 巨（　　）

8 羞（　　）

9 既（　　）

10 唯（　　）

2×10　／20

(三)

熟語の構成のしかたには次のようなものがある。

ア 同じような意味の漢字を重ねたもの　（岩石）

イ 反対または対応の意味を表す字を重ねたもの　（高低）

ウ 上の字が下の字を修飾しているもの　（洋画）

エ 下の字が上の字の目的語・補語になっているもの　（着席）

オ 上の字が下の字の意味を打ち消しているもの　（不在）

次の熟語は右の**ア**～**オ**のどれにあたるか、**一つ**選び、**記号**を記せ。

1 真偽（　　）

2 明瞭（　　）

3 懐古（　　）

4 霊魂（　　）

5 聴衆（　　）

6 遭難（　　）

7 怪談（　　）

8 帆船（　　）

9 非常（　　）

10 抑揚（　　）

問1／2×10
問2／2×5

(四)　／30

次の**四字熟語**について、問1と問2に答えよ。

問1 次の**四字熟語**の（1～10）に入る適切な語を後の□の中から選び、**漢字二字**で記せ。

ア 読書（1）

イ （2）盛衰

ウ 群雄（3）

エ （4）一声

オ 生生（5）

カ （6）壮大

キ 自家（7）

ク （8）篤実

ケ 縦横（9）

コ （10）玩味

えいこ・おんこう・かっきょ・きう
じゅくどく・だいかつ・ひゃっぺん
むじん・やくろう・るてん

問2 次の11～15の**意味**にあてはまるものを問1の**ア～コの四字熟語**から**一つ**選び、**記号**で答えよ。

11 心が広く立派なこと。（　　）

12 大きな声で叱りつけること。（　　）

13 穏やかで優しく、誠実なこと。（　　）

14 思う存分に物事を行うさま。（　　）

15 万物は絶えず変化している。（　　）

(五)

2×10 /20

次の1～5の**対義語**、6～10の**類義語**を後の□の中から選び、**漢字**で記せ。□の中の語は一度だけ使うこと。

対義語

1 末端（　　）
2 記憶（　　）
3 凡人（　　）
4 決裂（　　）
5 美麗（　　）

類義語

6 確保（　　）
7 解職（　　）
8 同等（　　）
9 手柄（　　）
10 法師（　　）

いつざい・しゅうあく・しゅくん・そうりょ
だけつ・ちゅうすう・はじ・ひってき
ひめん・ぼうきゃく

(六)

2×10 /20

次の——線の**カタカナ**を**漢字**に直せ。

1 皇室に**ケンジョウ**された名品だ。（　　）
2 **ケンジョウ**を攻め落とす。（　　）
3 **スイセン**の芽が顔を出した。（　　）
4 議長に友人を**スイセン**する。（　　）
5 全く**フショウ**の息子だ。（　　）
6 政財界の**フショウ**事が発覚する。（　　）
7 **ケイコク**の紅葉が美しい。（　　）
8 **ケイコク**の美女と評判だ。（　　）
9 手**ザワ**りの良い生地だ。（　　）
10 耳**ザワ**りな音楽が聞こえる。（　　）

2×5
/10
(七)

次の各文にまちがって使われている**同じ読みの漢字が一字**ある。**上に誤字**を、**下に正しい漢字**を記せ。

1 不公平な税制をなくし社会福祉や生活基盤の拡重、失業率の改善などが今政治に求められている。（ ・ ）

2 毎年好例の夏の夜空を彩る花火大会が開かれ最後に百発以上の連続花火が打ち上げられ、見物客の目を楽しませた。（ ・ ）

3 高血圧の原因としては偉伝のほか塩分の過剰摂取や加齢による血管の老化、喫煙などが挙げられる。（ ・ ）

4 日本人観光客が滅多に訪れない土地での海外生活でたまに同邦と会って母国語で話すことは無上の喜びである。（ ・ ）

5 六月に梅雨前線の活動が活発化した影響で大雨が降り続き地域住民に対して非難指示が出された。（ ・ ）

2×5
/10
(八)

次の――線の**カタカナ**を**漢字一字と送りがな（ひらがな）**に直せ。

〈例〉 新学期が**ハジマル**。 始まる

1 青年時代を**カエリミル**。（ ）

2 書類を**タズサエ**て行く。（ ）

3 容赦なく悪人を**コラシメル**。（ ）

4 パニック状態に**オチイッ**た。（ ）

5 子供の頃を**ナツカシク**思う。（ ）

2×25　／50

(九) 次の――線の**カタカナ**を**漢字**に直せ。

1 **ケンサク**の条件を絞り込む。（　）
2 現在の**ショウジョウ**を医者に伝える。（　）
3 障子の**サン**のほこりを払う。（　）
4 屋根は**ロクショウ**で覆われていた。（　）
5 **フゼイ**のある景色を眺める。（　）
6 **ヒロウエン**に多くの人が集まった。（　）
7 金の**モウジャ**と罵られる。（　）
8 **コフン**の発掘調査をする。（　）
9 暑さで体力を**ショウモウ**した。（　）
10 夏休みのイベントを**キカク**する。（　）
11 山岳**シンコウ**で名高い山だ。（　）
12 試合前に国歌を**セイショウ**する。（　）
13 金魚鉢に**モ**を入れる。（　）
14 正月に**マユ**玉を飾る。（　）
15 教会の**カネ**が高らかに鳴る。（　）
16 制限時間が迫り**アセ**って失敗した。（　）
17 敵の**ホドコ**しは受けない。（　）
18 庭の**カキ**の実が色づいてきた。（　）
19 魚に**タケグシ**を打って炉辺で焼く。（　）
20 子供の**コロ**の思い出を懐かしむ。（　）
21 窓の汚れを**フ**き取る。（　）
22 犬が**キバ**をむいてうなる。（　）
23 **ジゴク**で仏に会ったよう。（　）
24 **ヤナギ**に雪折れなし。（　）
25 楽しみを以《もっ》て**ウレ**いを忘れる。（　）

本試験型

2級

第18回★テスト

〈60分〉

合計点

200点満点の　　点

- 160点以上 合格
- 130点以上 もう一度学習を
- 100点以上 猛勉強が必要
- 99点以下 受検級を考え直しましょう

(一)

1×30　　/30

次の――線の**漢字の読み**を**ひらがな**で記せ。

1 徹宵で復旧作業にあたる。（　）
2 スーパーで瓶詰のジャムを買う。（　）
3 稲の出穂が待ち遠しい。（　）
4 若くして修道尼になった。（　）
5 卒業式で惜別の言葉を述べた。（　）
6 選挙資金は潤沢にある。（　）
7 お茶の宗匠として名高い人だ。（　）
8 両国の間に緩衝地帯を設ける。（　）
9 実力が伯仲した見応えのある試合だ。（　）
10 今日は皆既日食が見られた。（　）
11 人生の重要な岐路に立つ。（　）
12 火事の原因は漏電だった。（　）
13 戦死者の慰霊祭が行われた。（　）
14 数隻の船が沖合に見える。（　）
15 急ぎ宮中に参内する。（　）
16 クラスの秩序を乱す行動だ。（　）
17 管轄の範囲外だと言われた。（　）
18 寝る前に風呂に入る。（　）
19 三角州は砂が堆積してできた。（　）
20 未曽有の事態に直面する。（　）
21 いたずらに時間が費える。（　）
22 日脚がずいぶんと伸びた。（　）

23 政治家が自叙伝を書き著す。（　　）
24 取り調べ中に前日の証言を覆す。（　　）
25 飲酒運転に因る事故が起きた。（　　）
26 子供と堀端の道を散歩する。（　　）
27 生徒に人の道を教え諭す。（　　）
28 子守唄を母から習う。（　　）
29 臭いものに蓋をする。（　　）
30 空き缶を潰して捨てる。（　　）

(二)

1×10

/10

次の漢字の**部首**を記せ。

〈例〉 運 ［⻌］　開 ［門］

1 呈（　　）
2 爽（　　）
3 恭（　　）
4 斗（　　）
5 貞（　　）
6 系（　　）
7 匹（　　）
8 卸（　　）
9 既（　　）
10 朕（　　）

(三)

2×10

/20

熟語の構成のしかたには次のようなものがある。

ア 同じような意味の漢字を重ねたもの　（**岩石**）
イ 反対または対応の意味を表す字を重ねたもの　（**高低**）
ウ 上の字が下の字を修飾しているもの　（**洋画**）
エ 下の字が上の字の目的語・補語になっているもの　（**着席**）
オ 上の字が下の字の意味を打ち消しているもの　（**不在**）

次の熟語は右の**ア**～**オ**のどれにあたるか、**一つ**選び、**記号**を記せ。

1 免疫（　　）
2 緩急（　　）

3 萎縮（　　）
4 繁閑（　　）
5 湿原（　　）
6 炊飯（　　）
7 空欄（　　）
8 洗剤（　　）
9 不妊（　　）
10 駐留（　　）

問1/2×10
問2/2×5

/30

（四）

次の**四字熟語**について、問1と問2に答えよ。

問1 次の**四字熟語**の（1～10）に入る適切な語を後の□の中から選び、**漢字二字**で記せ。

ア 金城（1　　）
イ（2　　）一会
ウ 拍手（3　　）
エ（4　　）麗句
オ 佳人（5　　）
カ（6　　）一菜
キ 天衣（7　　）
ク（8　　）喪志
ケ 粒粒（9　　）
コ（10　　）妥当

いちご・いちじゅう・かっさい・がんぶつ
しんく・てっぺき・はくめい
びじ・ふへん・むほう

問2 次の11～15の**意味**にあてはまるものを問1の**ア～コの四字熟語**から**一つ**選び、**記号**で答えよ。

11 必要のない物に熱中し本業がおろそかになること。（　　）
12 質素な食事。（　　）
13 全てに適切に当てはまるさま。（　　）
14 細かな努力を重ねて苦労するさま。（　　）
15 飾り気がなく無邪気なさま。（　　）

(五)

2×10

/20

次の1～5の**対義語**、6～10の**類義語**を後の□の中から選び、**漢字**で記せ。□の中の語は一度だけ使うこと。

対義語

1 小心（　　）
2 性急（　　）
3 不眠（　　）
4 極端（　　）
5 惑星（　　）

類義語

6 安値（　　）
7 栄養（　　）
8 縁者（　　）
9 分配（　　）
10 湯船（　　）

こうせい・ごうたん・じゅくすい・じょう
しんせき・ちゅうよう・はんぷ・ゆうちょう
よくそう・れんか

(六)

2×10

/20

次の――線の**カタカナ**を**漢字**に直せ。

1 **シンリョウ**所に医師が常駐する。（　　）
2 ようやく**シンリョウ**の候となった。（　　）
3 **ユウカイ**犯が捕まった。（　　）
4 温度が固体の**ユウカイ**点に達した。（　　）
5 **ハッコウ**の美女の物語を読む。（　　）
6 条約が**ハッコウ**する。（　　）
7 故人を**ツイトウ**する。（　　）
8 平家を**ツイトウ**する。（　　）
9 申し出の**ムネ**はよく分かった。（　　）
10 別**ムネ**のアトリエで仕事をする。（　　）

(七) 次の各文にまちがって使われている**同じ読みの漢字**が**一字**ある。**上に誤字を、下に正しい漢字**を記せ。

2×5 /10

1 企業収益が高水準で推維する中設備投資も増大を続けており景気は拡大傾向にあると言える。（　・　）

2 国際的な競技大会の開催を目前に控え優勝候補とされる選手達に緊張感と高揺感が強まってきた。（　・　）

3 不況により従業員の大半が解顧通告を受けたが労働組合は十分な補償を求めて交渉を続けている。（　・　）

4 長年地道な研究に携わりその分野の泰斗として多くの人に慕われた老教授が享年九十八で静去した。（　・　）

5 七夕は本来は宮中行事であったが江戸時代に短策に願い事を書いて葉竹に飾る風習が始まった。（　・　）

(八) 次の――線の**カタカナ**を**漢字一字と送りがな(ひらがな)**に直せ。

2×5 /10

〈例〉 新学期が**ハジマル**。 始まる

1 **ミニクイ**あひるの子。（　）

2 声を**シノバセ**て泣く。（　）

3 栄養が**カタヨラ**ないよう心がける。（　）

4 無礼な態度に**イキドオル**。（　）

5 **タダシ**書きを付ける。（　）

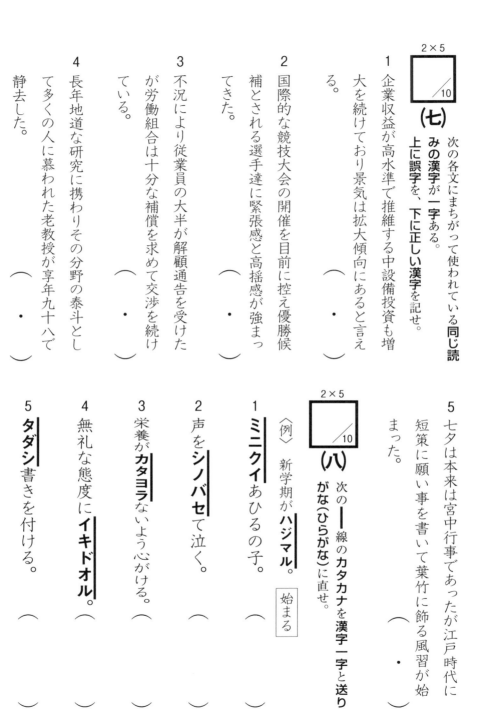

2×25

/50

(九) 次の――線のカタカナを漢字に直せ。

1 作業現場から**テッシュウ**する。（　）
2 努力の差が**ニョジツ**に表れた。（　）
3 事故の原因を**ブンセキ**する。（　）
4 見下して**ブジョク**する。（　）
5 悪の**ゴンゲ**ともいえる悪役を演じる。（　）
6 新聞に**トクメイ**で投書する。（　）
7 私と妹は一卵性**ソウセイジ**だ。（　）
8 菜園でトマトを**サイバイ**する。（　）
9 **トウリュウモン**とされる賞を受賞した。（　）
10 二大勢力の**キンコウ**を保つ。（　）
11 遺族には**チョウイ**金が支払われた。（　）
12 父の弟は私には**オジ**に当たる。（　）
13 やかんで湯を**ワ**かす。（　）
14 **ホタル**は清流を好む。（　）
15 **オダ**やかな晴天が続いている。（　）
16 三匹の**コブタ**が家を建てた。（　）
17 兄に**ナラ**って医学部を目指す。（　）
18 **ドンブリ**に飯をよそう。（　）
19 猫の**ヒトミ**が輝いていた。（　）
20 旧友から成功を**ネタ**まれる。（　）
21 **クラヤミ**の中を手探りで進む。（　）
22 下山して**フモト**に辿《たど》り着く。（　）
23 敵に**ヒトアワ**吹かせる。（　）
24 **タイコ**判を押す。（　）
25 **マツゴ**の水を取る。（　）

（一）読み（1×30）

10	9	8	7	6	5	4	3	2	1

20	19	18	17	16	15	14	13	12	11

30	29	28	27	26	25	24	23	22	21

（二）部首（1×10）

10	9	8	7	6	5	4	3	2	1

（三）熟語の構成（2×10）

10	9	8	7	6	5	4	3	2	1

（四）四字熟語（2×15）

10	9	8	7	6	5	4	3	2	1

15	14	13	12	11

第（　　）回テスト答案用紙

／200点

10	9	8	7	6	5	4	3	2	1	（五）対義語 類義語 (2×10)

10	9	8	7	6	5	4	3	2	1	（六）同音・同訓異字 (2×10)

5	4	3	2	1	（七）誤字訂正 (2×5)
・	・	・	・	・	

5	4	3	2	1	（八）漢字と送りがな (2×5)

10	9	8	7	6	5	4	3	2	1	（九）書き取り (2×25)
20	19	18	17	16	15	14	13	12	11	
					25	24	23	22	21	

　※コピーしてお使いください。

2級配当漢字表

2級では画数の問題は出ません。

◀画数
◀漢字
［　］内は許容字体
◀読み
カタカナは音、ひらがなは訓、赤文字は送りがな。
◀部首
◀部首名
◀用語例
（　）の中にある用語例は特別な読みです。

画数	漢字	読み	部首	部首名	用語例
10 ア	挨	アイ	扌	てへん	挨拶《あいさつ》
17	曖	アイ	日	ひへん	曖昧《あいまい》
8	宛	あてる	宀	うかんむり	宛《あ》てる・宛《あ》て名《な》
12	嵐	あらし	山	やま	嵐《あらし》・砂嵐《すなあらし》
9 イ	畏	イ おそれる	田	た	畏敬《いけい》・畏友《いゆう》・畏《おそ》れる・畏《おそ》れ
11	萎	イ なえる	艹	くさかんむり	萎縮《いしゅく》・萎《な》える
12	椅	イ	木	きへん	椅子《いす》
13	彙	イ	彑	けいがしら	語彙《ごい》
9	咽	イン	口	くちへん	咽喉《いんこう》・咽頭《いんとう》
11	淫［淫］	イン みだら	氵	さんずい	淫行《いんこう》・淫乱《いんらん》・淫《みだ》ら
10 ウ	唄	うた	口	くちへん	小唄《こうた》・子守唄《こもりうた》
29	鬱	ウツ	鬯	ちょう	憂鬱《ゆううつ》・鬱病《うつびょう》
9 エ	怨	エン オン	心	こころ	怨恨《えんこん》・怨念《おんねん》・怨霊《おんりょう》
19	艶	エン つや	色	いろ	妖艶《ようえん》・艶《つや》・色艶《いろつや》
8 オ	旺	オウ	日	ひへん	旺盛《おうせい》
17	臆	オク	月	にくづき	臆説《おくせつ》・臆測《おくそく》・臆病《おくびょう》
10	俺	おれ	亻	にんべん	俺《おれ》
8 カ	苛	カ	艹	くさかんむり	苛酷《かこく》・苛烈《かれつ》
4	牙［牙］	ガ ゲ きば	牙	きば	歯牙《しが》・象牙《ぞうげ》・牙《きば》
5	瓦	ガ かわら	瓦	かわら	瓦解《がかい》・瓦《かわら》
13	楷	カイ	木	きへん	楷書《かいしょ》
15	潰	カイ つぶす つぶれる	氵	さんずい	潰瘍《かいよう》・潰《つぶ》す・潰《つぶ》れる
16	諧	カイ	言	ごんべん	俳諧《はいかい》・和諧《わかい》
11	崖	ガイ がけ	山	やま	断崖《だんがい》・崖下《がけした》
13	蓋	ガイ ふた	艹	くさかんむり	頭蓋骨《ずがいこつ》・天蓋《てんがい》・火蓋《ひぶた》を切《き》る
16	骸	ガイ	骨	ほねへん	形骸化《けいがいか》・死骸《しがい》
9	柿	かき	木	きへん	柿《かき》の木《き》
18	顎	ガク あご	頁	おおがい	顎関節《がくかんせつ》・顎《あご》で使《つか》う
12	葛［葛］	カツ くず	艹	くさかんむり	葛藤《かっとう》・葛根湯《かっこんとう》・葛湯《くずゆ》
10	釜	かま	金	かね	釜飯《かまめし》
18	鎌	かま	金	かねへん	鎌倉時代《かまくらじだい》
18	韓	カン	韋	なめしがわ	韓国《かんこく》
8	玩	ガン	王	おうへん たまへん	玩具《がんぐ》・玩味《がんみ》

キ	6	伎	キ	イ にんべん	歌舞伎《かぶき》
	11	亀	キ かめ	亀 かめ	亀裂《きれつ》 亀《かめ》の甲《こう》
	13	毀	キ	殳 るまた ほこづくり	毀損《きそん》 毀誉《きよ》
	15	畿	キ	田 た	畿内《きない》 近畿《きんき》
	6	臼	キュウ うす	臼 うす	臼歯《きゅうし》・脱臼《だっきゅう》 石臼《いしうす》
	13	嗅 [嗅]	キュウ かぐ	口 くちへん	嗅覚《きゅうかく》 嗅《か》ぐ
	3	巾	キン	巾 はば	頭巾《ずきん》・雑巾《ぞうきん》 三角巾《さんかくきん》
	13	僅 [僅]	キン わずか	イ にんべん	僅差《きんさ》・僅少《きんしょう》 僅《わず》か
	16	錦	キン にしき	金 かねへん	錦秋《きんしゅう》 錦絵《にしきえ》
ク	11	惧 [惧]	グ	忄 りっしんべん	危惧《きぐ》
	7	串	くし	丨 ぼう たてぼう	串揚《くしあ》げ 串焼《くしや》き
	13	窟	クツ	穴 あなかんむり	巣窟《そうくつ》 洞窟《どうくつ》
ケ	13	詣	ケイ もうでる	言 ごんべん	参詣《さんけい》・造詣《ぞうけい》 詣《もう》でる
	15	憬	ケイ	忄 りっしんべん	憧憬《しょうけい(どうけい)》
	15	稽 [稽]	ケイ	禾 のぎへん	稽古《けいこ》 滑稽《こっけい》
	13	隙	ゲキ すき	阝 こざとへん	間隙《かんげき》 隙間《すきま》
	10	桁	けた	木 きへん	桁違《けたちが》い 橋桁《はしげた》
	10	拳	ケン こぶし	手 て	拳銃《けんじゅう》・鉄拳《てっけん》 握《にぎ》り拳《こぶし》
	17	鍵	ケン かぎ	金 かねへん	鍵盤《けんばん》 鍵穴《かぎあな》
	11	舷	ゲン	舟 ふねへん	左舷《さげん》 右舷《うげん》
コ	8	股	コ また	月 にくづき	股間《こかん》 内股《うちまた》・大股《おおまた》
	8	虎	コ とら	虍 とらがしら とらかんむり	虎穴《こけつ》・虎《とら》の巻《まき》 虎口《ここう》を脱《だっ》する
	16	錮	コ	金 かねへん	禁錮《きんこ》
	4	勾	コウ	勹 つつみがまえ	勾配《こうばい》 勾留《こうりゅう》
	11	梗	コウ	木 きへん	心筋梗塞《しんきんこうそく》 脳梗塞《のうこうそく》
	12	喉	コウ のど	口 くちへん	喉頭《こうとう》・咽喉《いんこう》 喉元《のどもと》過ぎれば…
	3	乞	こう	乙 おつ	乞《こ》う 命乞《いのちご》い
	13	傲	ゴウ	イ にんべん	傲岸《ごうがん》 傲慢《ごうまん》
	15	駒	こま	馬 うまへん	ひょうたんから駒《こま》
	11	頃	ころ	頁 おおがい	頃合《ころあ》い 日頃《ひごろ》
	11	痕	コン あと	疒 やまいだれ	痕跡《こんせき》・血痕《けっこん》 傷痕《きずあと》
サ	7	沙	サ	氵 さんずい	地獄《じごく》の沙汰《さた》も 金次第《かねしだい》
	10	挫	ザ	扌 てへん	挫折《ざせつ》・頓挫《とんざ》 挫傷《ざしょう》
	8	采	サイ	釆 のごめ	采配《さいはい》・喝采《かっさい》 風采《ふうさい》
	13	塞	サイ ソク ふさぐ ふさがる	土 つち	要塞《ようさい》・梗塞《こうそく》 閉塞《へいそく》・塞《ふさ》ぐ
	9	柵	サク	木 きへん	鉄柵《てっさく》 防護柵《ぼうごさく》

画数	漢字	読み	部首	部首名	用例
8	刹	サツ・セツ	刂	りっとう	古刹《こさつ》・名刹《めいさつ》 仏刹《ぶっさつ》・刹那《せつな》
9	拶	サツ	扌	てへん	挨拶《あいさつ》
11	斬	ザン きる	斤	おのづくり	斬殺《ざんさつ》・斬首《ざんしゅ》 斬新《ざんしん》・斬《き》る
10 シ	恣	シ	心	こころ	恣意的《しいてき》
15	摯	シ	手	て	真摯《しんし》
15	餌［餌］	ジ えさ え	飠	しょくへん	好餌《こうじ》・餌《えさ》 餌食《えじき》・餌付《えづ》け
5	叱	シツ しかる	口	くちへん	叱責《しっせき》 叱《しか》る
13	嫉	シツ	女	おんなへん	嫉妬《しっと》
13	腫	シュ はれる はらす	月	にくづき	腫瘍《しゅよう》・腫《は》れる 腫《は》れ・腫《は》らす
8	呪	ジュ のろう	口	くちへん	呪縛《じゅばく》・呪文《じゅもん》 呪術《じゅじゅつ》・呪《のろ》う
10	袖	シュウ そで	衤	ころもへん	領袖《りょうしゅう》 袖《そで》・長袖《ながそで》
11	羞	シュウ	羊	ひつじ	羞恥心《しゅうちしん》 羞悪《しゅうお》
19	蹴	シュウ ける	𧾷	あしへん	一蹴《いっしゅう》・蹴球《しゅうきゅう》 球《たま》を蹴《け》る
15	憧	ショウ あこがれる	忄	りっしんべん	憧憬《しょうけい(どうけい)》 憧《あこが》れる・憧《あこが》れ
9	拭	ショク ふく ぬぐう	扌	てへん	払拭《ふっしょく》・拭浄《しょくじょう》 拭《ふ》く・拭《ぬぐ》う
5	尻	しり	尸	かばね しかばね	尻上《しりあ》がり 目尻《めじり》・(尻尾《しっぽ》)
7	芯	シン	艹	くさかんむり	替《か》え芯《しん》
13	腎	ジン	肉	にく	腎臓《じんぞう》・腎炎《じんえん》 肝腎《かんじん》
12 ス	須	ス	頁	おおがい	必須《ひっす》 急須《きゅうす》
13	裾	すそ	衤	ころもへん	山裾《やますそ》・裾野《すその》 裾上《すそあ》げ
10 セ	凄	セイ	冫	にすい	凄惨《せいさん》 凄絶《せいぜつ》
16	醒	セイ	酉	とりへん	覚醒《かくせい》 警醒《けいせい》
10	脊	セキ	肉	にく	脊髄《せきずい》 脊柱《せきちゅう》
11	戚	セキ	戈	ほこづくり ほこがまえ	親戚《しんせき》 縁戚《えんせき》
13	煎［煎］	セン いる	灬	れんが れっか	煎茶《せんちゃ》 豆《まめ》を煎《い》る
13	羨	セン うらやむ うらやましい	羊	ひつじ	羨望《せんぼう》・羨慕《せんぼ》 羨《うらや》む・羨《うらや》ましい
13	腺	セン	月	にくづき	汗腺《かんせん》・前立腺《ぜんりつせん》 涙腺《るいせん》
13	詮［詮］	セン	言	ごんべん	詮索《せんさく》・詮議《せんぎ》 所詮《しょせん》
14	箋［箋］	セン	⺮	たけかんむり	処方箋《しょほうせん》 便箋《びんせん》
16	膳	ゼン	月	にくづき	膳《ぜん》・配膳《はいぜん》 本膳《ほんぜん》
8 ソ	狙	ソ ねらう	犭	けものへん	狙撃《そげき》 狙《ねら》う・狙《ねら》い
14	遡［遡］	ソ さかのぼる	辶	しんにょう しんにゅう	遡及《そきゅう》・遡上《そじょう》 遡行《そこう》・遡《さかのぼ》る
11	曽	ソウ ゾ	曰	ひらび いわく	曽祖父《そうそふ》・曽孫《そうそん》 未曽有《みぞう》
11	爽	ソウ さわやか	大	だい	爽快《そうかい》・爽秋《そうしゅう》 爽《さわ》やか
12	痩	ソウ やせる	疒	やまいだれ	痩身《そうしん》 痩《や》せる
15	踪	ソウ	𧾷	あしへん	失踪《しっそう》 踪跡《そうせき》

見出し	画数	漢字	読み	部首	用例
	10	捉	ソク とらえる	扌 てへん	捕捉《ほそく》・把捉《はそく》 捉《とら》える
	14	遜 [遜]	ソン	辶 しんにょう しんにゅう	謙遜《けんそん》・不遜《ふそん》 遜色《そんしょく》
タ	7	汰	タ	氵 さんずい	地獄《じごく》の沙汰《さた》も金次第《かねしだい》
	11	唾	ダ つば	口 くちへん	唾液《だえき》・唾《つば》 眉唾《まゆつば》
	11	堆	タイ	土 つちへん	堆積《たいせき》 堆肥《たいひ》
	17	戴	タイ	戈 ほこづくり ほこがまえ	戴冠《たいかん》 頂戴《ちょうだい》
	15	誰	だれ	言 ごんべん	誰《だれ》 誰彼《だれかれ》かまわず
	5	旦	タン ダン	日 ひ	一旦《いったん》・元旦《がんたん》 旦日《たんじつ》・旦那《だんな》
	14	綻	タン ほころびる	糸 いとへん	破綻《はたん》 綻《ほころ》びる
チ	16	緻	チ	糸 いとへん	緻密《ちみつ》・精緻《せいち》 巧緻《こうち》
	10	酎	チュウ	酉 とりへん	焼酎《しょうちゅう》
	12	貼	チョウ はる	貝 かいへん	貼付《ちょうふ》 貼《は》る
	15	嘲 [嘲]	チョウ あざける	口 くちへん	嘲笑《ちょうしょう》・自嘲《じちょう》 嘲《あざけ》る
	10	捗 [捗]	チョク	扌 てへん	進捗《しんちょく》
ツ	12	椎	ツイ	木 きへん	椎間板《ついかんばん》 脊椎《せきつい》
	4	爪	つめ つま	爪 つめ	爪《つめ》・生爪《なまづめ》 爪先《つまさき》・爪音《つまおと》
	21	鶴	つる	鳥 とり	鶴《つる》 千羽鶴《せんばづる》
テ	16	諦	テイ あきらめる	言 ごんべん	諦観《ていかん》・諦念《ていねん》 諦《あきら》める
	13	溺 [溺]	デキ おぼれる	氵 さんずい	溺愛《できあい》・溺死《できし》 溺《おぼ》れる
	13	塡 [填]	テン	土 つちへん	装塡《そうてん》 補塡《ほてん》
ト	8	妬	ト ねたむ	女 おんなへん	嫉妬《しっと》 妬《ねた》む
	16	賭 [賭]	ト かける	貝 かいへん	賭博《とばく》・賭場《とば》 賭《か》ける・賭《か》け
	18	藤	トウ ふじ	艹 くさかんむり	葛藤《かっとう》・藤花《とうか》 藤《ふじ》・藤色《ふじいろ》
	17	瞳	ドウ ひとみ	目 めへん	瞳孔《どうこう》 瞳《ひとみ》
	13	頓	トン	頁 おおがい	頓着《とんちゃく》・整頓《せいとん》 頓首《とんしゅ》
	11	貪	ドン むさぼる	貝 かい こがい	貪欲《どんよく》 貪《むさぼ》る
	5	丼	どんぶり どん	丶 てん	丼《どんぶり》・丼飯《どんぶりめし》 牛丼《ぎゅうどん》
ナ	7	那	ナ	阝 おおざと	刹那《せつな》 旦那《だんな》
	17	謎 [謎]	なぞ	言 ごんべん	謎《なぞ》 謎掛《なぞか》け
	17	鍋	なべ	金 かねへん	鍋《なべ》 鍋料理《なべりょうり》
ニ	4	匂	におう	勹 つつみがまえ	匂《にお》う 匂《にお》い
	9	虹	にじ	虫 むしへん	虹《にじ》
ネ	11	捻	ネン	扌 てへん	捻挫《ねんざ》・捻転《ねんてん》 捻出《ねんしゅつ》
ハ	15	罵	バ ののしる	罒 あみがしら あみめ よこめ	罵声《ばせい》・罵倒《ばとう》 罵《のの》る
	10	剝 [剥]	ハク はがす はぐ はがれる はげる	刂 りっとう	剝奪《はくだつ》・剝《は》がす 剝《は》ぐ・剝《は》がれる
	15	箸 [箸]	はし	竹 たけかんむり	竹箸《たけばし》 割《わ》り箸《ばし》

画数	音	漢字	読み	部首	部首名	用例
5		氾	ハン	氵	さんずい	氾濫《はんらん》
6		汎	ハン	氵	さんずい	汎用《はんよう》 汎愛《はんあい》
12		斑	ハン	文	ぶん	斑点《はんてん》
9	ヒ	眉	ビ ミ まゆ	目	め	眉目《びもく》・白眉《はくび》 眉間《みけん》・眉毛《まゆげ》
15		膝	ひざ	月	にくづき	膝《ひざ》・膝頭《ひざがしら》 膝小僧《ひざこぞう》
7		肘	ひじ	月	にくづき	肘《ひじ》・肘鉄《ひじてつ》 肘掛《ひじか》け
9	フ	訃	フ	言	ごんべん	訃報《ふほう》 訃告《ふこく》
15	ヘ	蔽	[蔽] ヘイ	艹	くさかんむり	隠蔽《いんぺい》 遮蔽《しゃへい》
15		餅	[餠] ヘイ もち	飠	しょくへん	煎餅《せんべい》・月餅《げっぺい》 餅屋《もちや》・尻餅《しりもち》
18		璧	ヘキ	玉	たま	完璧《かんぺき》 双璧《そうへき》
14		蔑	ベツ さげすむ	艹	くさかんむり	蔑視《べっし》・軽蔑《けいべつ》 侮蔑《ぶべつ》・蔑《さげす》む
10	ホ	哺	ホ	口	くちへん	哺乳類《ほにゅうるい》

画数	音	漢字	読み	部首	部首名	用例
13		蜂	ホウ はち	虫	むしへん	蜂起《ほうき》・養蜂《ようほう》 蜜蜂《みつばち》
14		貌	ボウ	豸	むじなへん	変貌《へんぼう》・容貌《ようぼう》 美貌《びぼう》
16		頬	[頰] ほお	頁	おおがい	頬《ほお》・頬骨《ほおぼね》 頬張《ほおば》る
13		睦	ボク	目	めへん	親睦《しんぼく》 和睦《わぼく》
9		勃	ボツ	力	ちから	勃興《ぼっこう》・勃発《ぼっぱつ》 勃然《ぼつぜん》
9	マ	昧	マイ	日	ひへん	曖昧《あいまい》 三昧《ざんまい》
8		枕	まくら	木	きへん	枕《まくら》・枕元《まくらもと》 膝枕《ひざまくら》
14	ミ	蜜	ミツ	虫	むし	蜜《みつ》・蜜月《みつげつ》 蜜蜂《みつばち》
10	メ	冥	メイ ミョウ	冖	わかんむり	冥福《めいふく》・冥土《めいど》 冥加《みょうが》・冥利《みょうり》
16		麺	メン	麦	ばくにょう	麺類《めんるい》
7	ヤ	冶	ヤ	冫	にすい	冶金《やきん》 陶冶《とうや》
8		弥	や	弓	ゆみへん	(弥生《やよい》)

画数	音	漢字	読み	部首	部首名	用例
17		闇	やみ	門	もんがまえ	闇夜《やみよ》・暗闇《くらやみ》 闇市《やみいち》
12	ユ	喩	[喻] ユ	口	くちへん	比喩《ひゆ》 隠喩《いんゆ》
12		湧	ユウ わく	氵	さんずい	湧泉《ゆうせん》・湧出《ゆうしゅつ》 湧《わ》き水《みず》・湧《わ》く
7	ヨ	妖	ヨウ あやしい	女	おんなへん	妖怪《ようかい》・妖艶《ようえん》 妖《あや》しい
14		瘍	ヨウ	疒	やまいだれ	潰瘍《かいよう》 腫瘍《しゅよう》
7		沃	ヨク	氵	さんずい	肥沃《ひよく》 沃土《よくど》
8	ラ	拉	ラ	扌	てへん	拉致《らち》
14		辣	ラツ	辛	からい	辣腕《らつわん》 辛辣《しんらつ》
18		藍	ラン あい	艹	くさかんむり	出藍《しゅつらん》の誉《ほま》れ 藍色《あいいろ》・藍染《あいぞ》め
14	リ	璃	リ	王	おうへん たまへん	浄瑠璃《じょうるり》 瑠璃色《るりいろ》
13		慄	リツ	忄	りっしんべん	戦慄《せんりつ》 慄然《りつぜん》
9		侶	リョ	亻	にんべん	僧侶《そうりょ》 伴侶《はんりょ》

画数	漢字	読み	部首	用例
17	瞭	リョウ	目 めへん	明瞭《めいりょう》・一目瞭然《いちもくりょうぜん》
ル 14	瑠	ル	王 おうへん たまへん	浄瑠璃《じょうるり》・瑠璃色《るりいろ》
ロ 7	呂	ロ	口 くち	風呂《ふろ》
13	賂	ロ	貝 かいへん	賄賂《わいろ》
7	弄	ロウ もてあそぶ	廾 こまぬき にじゅうあし	翻弄《ほんろう》・愚弄《ぐろう》 弄《もてあそ》ぶ
22	籠	ロウ かご こもる	⺮ たけかんむり	籠城《ろうじょう》・籠鳥《ろうちょう》 籠《かご》・籠もる
19	麓	ロク ふもと	木 き	山麓《さんろく》 麓《ふもと》
ワ 10	脇	わき	月 にくづき	脇腹《わきばら》・脇役《わきやく》 両脇《りょうわき》

計	準2級までの合計	累計
一八五字	一、九五一字	二、一三六字

2級に出る熟字訓・当て字

海女《あま》・海士《あま》
息吹《いぶき》
浮気《うわき》
お神酒《みき》
母屋《おもや》（家《や》）
神楽《かぐら》
河岸《かし》　「魚河岸《うおがし》」として用いてもよい
蚊帳《かや》
玄人《くろうと》
居士《こじ》
雑魚《ざこ》
桟敷《さじき》
数珠《じゅず》
素人《しろうと》
師走《しわす》（「しはす」ともいう）

数寄《すき》（奇《き》）屋《や》
山車《だし》
稚児《ちご》
築山《つきやま》
伝馬船《てんません（ぶね）》
投網《とあみ》
十重二十重《とえはたえ》
読経《どきょう》
仲人《なこうど》
野良《のら》
祝詞《のりと》
猛者《もさ》
八百長《やおちょう》
浴衣《ゆかた》
寄席《よせ》

準2級配当漢字表

準2級配当漢字は328字あります。2級の試験では準2級配当漢字からも出題されるので、しっかり覚えておきましょう。

◀画数
◀漢字
◀読み　カタカナは音、ひらがなは訓、赤文字は送りがな。
◀部首
◀部首名
◀用語例　( )の中にある用語例は特別な読みです。

	画数	漢字	読み	部首	部首名	用語例
ア	7	亜	ア	二	に	亜流《ありゅう》・亜麻《あま》 亜熱帯《あねったい》
イ	11	尉	イ	寸	すん	尉官《いかん》・一尉《いちい》 大尉《たいい》
	11	逸	イツ	辶	しんにょう しんにゅう	逸話《いつわ》・逸品《いっぴん》 常軌《じょうき》を逸《いっ》する
	9	姻	イン	女	おんなへん	姻族《いんぞく》 婚姻《こんいん》
	19	韻	イン	音	おと	韻律《いんりつ》・韻文《いんぶん》 音韻《おんいん》
ウ	10	畝	うね	田	た	畝織《うねおり》
	10	浦	うら	氵	さんずい	浦風《うらかぜ》・浦波《うらなみ》 津々《つつ》浦々《うらうら》
エ	9	疫	エキ ヤク	疒	やまいだれ	疫病《えきびょう》・悪疫《あくえき》 疫病神《やくびょうがみ》
	15	謁	エツ	言	ごんべん	謁見《えっけん》・拝謁《はいえつ》 謁《えっ》する
	13	猿	エン さる	犭	けものへん	野猿《やえん》・類人猿《るいじんえん》 猿芝居《さるしばい》
オ	5	凹	オウ	凵	うけばこ	凹凸《おうとつ》・凹面鏡《おうめんきょう》 (凸凹《でこぼこ》)
	10	翁	オウ	羽	はね	老翁《ろうおう》
	13	虞	おそれ	虍	とらがしら とらかんむり	大雨《おおあめ》の虞《おそれ》
カ	12	渦	カ うず	氵	さんずい	渦中《かちゅう》 渦潮《うずしお》・渦巻《うずま》く
	13	禍	カ	礻	しめすへん	禍福《かふく》・禍根《かこん》 災禍《さいか》
	13	靴	カ くつ	革	かわへん	製靴《せいか》・靴下《くつした》 革靴《かわぐつ》
	14	寡	カ	宀	うかんむり	寡黙《かもく》・寡婦《かふ》 多寡《たか》
	15	稼	カ かせぐ	禾	のぎへん	稼業《かぎょう》・稼働《かどう》 稼《かせ》ぎ高《だか》
	10	蚊	か	虫	むしへん	蚊柱《かばしら》・やぶ蚊《か》 (蚊帳《かや》)
	8	拐	カイ	扌	てへん	誘拐《ゆうかい》
	16	懐	カイ ふところ なつかしい なつかしむ なつく なつける	忄	りっしんべん	懐中《かいちゅう》・述懐《じゅっかい》 懐刀《ふところがたな》・内懐《うちぶところ》 昔《むかし》を懐《なつ》かしむ 犬《いぬ》が懐《なつ》く
	8	劾	ガイ	力	ちから	弾劾《だんがい》
	11	涯	ガイ	氵	さんずい	生涯《しょうがい》・天涯《てんがい》 境涯《きょうがい》
	9	垣	かき	土	つちへん	垣根《かきね》・石垣《いしがき》 人垣《ひとがき》
	10	核	カク	木	きへん	核心《かくしん》・核家族《かくかぞく》 核兵器《かくへいき》
	11	殻	カク から	殳	るまた ほこづくり	甲殻《こうかく》・地殻《ちかく》 貝殻《かいがら》
	17	嚇	カク	口	くちへん	威嚇《いかく》
	9	括	カツ	扌	てへん	括弧《かっこ》・一括《いっかつ》 包括《ほうかつ》
	11	喝	カツ	口	くちへん	喝破《かっぱ》・一喝《いっかつ》 恐喝《きょうかつ》
	11	渇	カツ かわく	氵	さんずい	渇望《かつぼう》・渇水《かっすい》 のどが渇《かわ》く
	13	褐	カツ	衤	ころもへん	褐色《かっしょく》・茶褐色《ちゃかっしょく》 褐炭《かったん》

画数	漢字	読み	部首	用例
17	轄	カツ	車 くるまへん	管轄《かんかつ》・所轄《しょかつ》 直轄《ちょっかつ》
5	且	かつ	一 いち	なお且《か》つ 飲《の》み且《か》つ食《く》う
6	缶	カン	缶 ほとぎ	缶詰《かんづめ》・製缶《せいかん》
10	陥	カン おちいる おとしいれる	阝 こざとへん	陥没《かんぼつ》・陥《おちい》る 人《ひと》を陥《おとしい》れる
11	患	カン わずらう	心 こころ	患者《かんじゃ》・疾患《しっかん》 長患《ながわずら》い
12	堪	カン たえる	土 つちへん	堪忍《かんにん》 任《にん》に堪《た》える
12	棺	カン	木 きへん	棺《かん》おけ 石棺《せっかん》・出棺《しゅっかん》
12	款	カン	欠 あくび かける	定款《ていかん》・借款《しゃっかん》 落款《らっかん》
12	閑	カン	門 もんがまえ	閑静《かんせい》・森閑《しんかん》 安閑《あんかん》・閑散《かんさん》
13	寛	カン	宀 うかんむり	寛大《かんだい》・寛容《かんよう》 寛厳《かんげん》
16	憾	カン	忄 りっしんべん	遺憾《いかん》
16	還	カン	辶 しんにょう しんにゅう	還元《かんげん》・生還《せいかん》 返還《へんかん》
21	艦	カン	舟 ふねへん	艦船《かんせん》・艦隊《かんたい》 軍艦《ぐんかん》
13	頑	ガン	頁 おおがい	頑強《がんきょう》・頑健《がんけん》 頑固《がんこ》・頑迷《がんめい》
キ 10	飢	キ うえる	飠 しょくへん	飢餓《きが》 愛情《あいじょう》に飢《う》える
8	宜	ギ	宀 うかんむり	適宜《てきぎ》・便宜《べんぎ》 時宜《じぎ》
11	偽	ギ いつわる にせ	亻 にんべん	偽名《ぎめい》・真偽《しんぎ》 偽《いつわ》る・偽札《にせさつ》
17	擬	ギ	扌 てへん	擬音《ぎおん》・模擬《もぎ》 擬人法《ぎじんほう》
9	糾	キュウ	糸 いとへん	糾弾《きゅうだん》 紛糾《ふんきゅう》
15	窮	キュウ きわめる きわまる	穴 あなかんむり	窮地《きゅうち》・窮屈《きゅうくつ》 進退《しんたい》窮《きわ》まる
8	拒	キョ こばむ	扌 てへん	拒絶《きょぜつ》・拒否《きょひ》 申《もう》し出《で》を拒《こば》む
8	享	キョウ	亠 なべぶた けいさんかんむり	享有《きょうゆう》・享受《きょうじゅ》 享楽《きょうらく》
9	挟	キョウ はさむ はさまる	扌 てへん	挟撃《きょうげき》・挟殺《きょうさつ》 口《くち》を挟《はさ》む
10	恭	キョウ うやうやしい	㣺 したごころ	恭賀《きょうが》・恭順《きょうじゅん》 恭《うやうや》しく最敬礼《さいけいれい》
17	矯	キョウ ためる	矢 やへん	矯正《きょうせい》・奇矯《ききょう》 角《つの》を矯《た》める
12	暁	ギョウ あかつき	日 ひへん	暁天《ぎょうてん》・今暁《こんぎょう》 成功《せいこう》の暁《あかつき》には
11	菌	キン	艹 くさかんむり	細菌《さいきん》・殺菌《さっきん》 保菌者《ほきんしゃ》
12	琴	キン こと	王 おう	木琴《もっきん》・琴線《きんせん》 大正琴《たいしょうごと》
17	謹	キン つつしむ	言 ごんべん	謹慎《きんしん》・謹賀《きんが》 謹《つつし》んで拝聴《はいちょう》
18	襟	キン えり	衤 ころもへん	開襟《かいきん》・胸襟《きょうきん》 襟《えり》を正《ただ》す
7	吟	ギン	口 くちへん	吟味《ぎんみ》・詩吟《しぎん》 苦吟《くぎん》
ク 12	隅	グウ すみ	阝 こざとへん	一隅《いちぐう》 片隅《かたすみ》
15	勲	クン	力 ちから	勲功《くんこう》・勲章《くんしょう》 殊勲《しゅくん》
16	薫	クン かおる	艹 くさかんむり	薫風《くんぷう》・薫陶《くんとう》 風薫《かぜかお》る五月《ごがつ》
ケ 8	茎	ケイ くき	艹 くさかんむり	球茎《きゅうけい》・地下茎《ちかけい》 歯茎《はぐき》
11	渓	ケイ	氵 さんずい	渓谷《けいこく》・渓流《けいりゅう》 雪渓《せっけい》

画数	漢字	読み	部首	部首名	用例
11	蛍	ケイ ほたる	虫	むし	蛍光灯《けいこうとう》 蛍《ほたる》の光《ひかり》
15	慶	ケイ	心	こころ	慶弔《けいちょう》・慶賀《けいが》 慶祝《けいしゅく》
13	傑	ケツ	イ	にんべん	傑物《けつぶつ》・傑作《けっさく》 豪傑《ごうけつ》
13	嫌	ケン ゲン きらう いや	女	おんなへん	嫌悪《けんお》・機嫌《きげん》 嫌《きら》う・嫌《いや》な人《ひと》
13	献	ケン コン	犬	いぬ	献上《けんじょう》・献身的《けんしんてき》 献立《こんだて》・一献《いっこん》
17	謙	ケン	言	ごんべん	謙虚《けんきょ》 謙譲《けんじょう》
18	繭	ケン まゆ	糸	いと	繭糸《けんし》 繭玉《まゆだま》
18	顕	ケン	頁	おおがい	顕著《けんちょ》・顕彰《けんしょう》 顕微鏡《けんびきょう》
20	懸	ケン・ケ かける かかる	心	こころ	懸命《けんめい》・懸念《けねん》 賞金《しょうきん》を懸《か》ける
8	弦	ゲン つる	弓	ゆみへん	上弦《じょうげん》・正弦《せいげん》 弦《つる》を放《はな》れた矢《や》
コ 7	呉	ゴ	口	くち	呉服《ごふく》・呉音《ごおん》 呉越同舟《ごえつどうしゅう》
13	碁	ゴ	石	いし	碁石《ごいし》・碁盤《ごばん》 囲碁《いご》
6	江	コウ え	氵	さんずい	長江《ちょうこう》 入《い》り江《え》
8	肯	コウ	肉	にく	肯定《こうてい》 首肯《しゅこう》
9	侯	コウ	イ	にんべん	諸侯《しょこう》 王侯《おうこう》
9	洪	コウ	氵	さんずい	洪水《こうずい》 洪積層《こうせきそう》
10	貢	コウ ク みつぐ	貝	かい こがい	貢献《こうけん》・年貢《ねんぐ》 貢《みつ》ぎ物《もの》
13	溝	コウ みぞ	氵	さんずい	下水溝《げすいこう》・排水溝《はいすいこう》 敷居《しきい》の溝《みぞ》
16	衡	コウ	行	ぎょうがまえ ゆきがまえ	均衡《きんこう》・平衡《へいこう》 度量衡《どりょうこう》
17	購	コウ	貝	かいへん	購入《こうにゅう》・購買《こうばい》 購読《こうどく》
9	拷	ゴウ	扌	てへん	拷問《ごうもん》
10	剛	ゴウ	刂	りっとう	金剛力《こんごうりき》 質実剛健《しつじつごうけん》
14	酷	コク	酉	とりへん	酷似《こくじ》・冷酷《れいこく》 残酷《ざんこく》
8	昆	コン	日	ひ	昆虫《こんちゅう》 昆布《こんぶ(こぶ)》
17	懇	コン ねんごろ	心	こころ	懇切《こんせつ》・懇親会《こんしんかい》 懇《ねんご》ろな交際《こうさい》
サ 10	唆	サ そそのかす	口	くちへん	教唆《きょうさ》・示唆《しさ》 悪事《あくじ》を唆《そそのか》す
12	詐	サ	言	ごんべん	詐欺《さぎ》・詐取《さしゅ》 詐称《さしょう》
9	砕	サイ くだく くだける	石	いしへん	砕石《さいせき》・粉砕《ふんさい》 心《こころ》を砕《くだ》く
10	宰	サイ	宀	うかんむり	宰領《さいりょう》・宰相《さいしょう》 主宰《しゅさい》
10	栽	サイ	木	キ	栽培《さいばい》 盆栽《ぼんさい》
11	斎	サイ	斉	せい	斎場《さいじょう》・潔斎《けっさい》 書斎《しょさい》
10	索	サク	糸	いと	索引《さくいん》・思索《しさく》 暗中模索《あんちゅうもさく》
12	酢	サク す	酉	とりへん	酢酸《さくさん》 酢《す》の物《もの》
10	桟	サン	木	きへん	桟橋《さんばし》 (桟敷《さじき》)
12	傘	サン かさ	人	ひとやね	傘下《さんか》・落下傘《らっかさん》 雨傘《あまがさ》・日傘《ひがさ》
シ 8	肢	シ	月	にくづき	肢体《したい》・下肢《かし》 選択肢《せんたくし》

画数	漢字	読み	部首	用例
13	嗣	シ	口 くち	嗣子《しし》 嫡嗣《ちゃくし》
15	賜	シ たまわる	貝 かいへん	賜杯《しはい》・恩賜《おんし》 お言葉《ことば》を賜《たまわ》る
19	璽	ジ	玉 たま	御璽《ぎょじ》 国璽《こくじ》
14	漆	シツ うるし	氵 さんずい	漆器《しっき》・漆黒《しっこく》 漆塗《うるしぬ》り
14	遮	シャ さえぎる	辶 しんにょう しんにゅう	遮断《しゃだん》 話《はなし》を遮《さえぎ》る
11	蛇	ジャ ダ へび	虫 むしへん	蛇腹《じゃばら》・蛇行《だこう》 蛇足《だそく》・蛇《へび》
10	酌	シャク くむ	酉 とりへん	晩酌《ばんしゃく》・酌量《しゃくりょう》 事情《じじょう》を酌《く》む
17	爵	シャク	爫 つめかんむり つめがしら	爵位《しゃくい》・伯爵《はくしゃく》 男爵《だんしゃく》
10	珠	シュ	王 おうへん たまへん	珠玉《しゅぎょく》・珠算《しゅざん》 真珠《しんじゅ》・(数珠《じゅず》)
16	儒	ジュ	亻 にんべん	儒学《じゅがく》・儒教《じゅきょう》 儒者《じゅしゃ》
5	囚	シュウ	口 くにがまえ	囚人《しゅうじん》 死刑囚《しけいしゅう》
9	臭	シュウ くさい におう	自 みずから	臭気《しゅうき》・生臭《なまぐさ》い ガスが臭《にお》う
13	愁	シュウ うれえる うれい	心 こころ	愁傷《しゅうしょう》・哀愁《あいしゅう》 愁《うれ》いに沈《しず》む
13	酬	シュウ	酉 とりへん	報酬《ほうしゅう》 応酬《おうしゅう》
17	醜	シュウ みにくい	酉 とりへん	醜悪《しゅうあく》・醜態《しゅうたい》 醜《みにく》い姿《すがた》
5	汁	ジュウ しる	氵 さんずい	果汁《かじゅう》・墨汁《ぼくじゅう》 汁粉《しるこ》
6	充	ジュウ あてる	儿 ひとあし にんにょう	充実《じゅうじつ》・充電《じゅうでん》 学費《がくひ》に充《あ》てる
11	渋	ジュウ しぶ しぶい しぶる	氵 さんずい	苦渋《くじゅう》・渋谷《しぶや》 返事《へんじ》を渋《しぶ》る
14	銃	ジュウ	金 かねへん	銃砲《じゅうほう》・銃弾《じゅうだん》 小銃《しょうじゅう》
8	叔	シュク	又 また	伯叔《はくしゅく》 (叔父《おじ》)
11	淑	シュク	氵 さんずい	淑女《しゅくじょ》・貞淑《ていしゅく》 私淑《ししゅく》
11	粛	シュク	聿 ふでづくり	自粛《じしゅく》 粛粛《しゅくしゅく》
14	塾	ジュク	土 つち	私塾《しじゅく》・学習塾《がくしゅうじゅく》 塾生《じゅくせい》
9	俊	シュン	亻 にんべん	俊敏《しゅんびん》・俊秀《しゅんしゅう》 俊才《しゅんさい》
10	准	ジュン	冫 にすい	准将《じゅんしょう》・准教授《じゅんきょうじゅ》 批准《ひじゅん》
10	殉	ジュン	歹 かばねへん いちたへん がつへん	殉死《じゅんし》・殉職《じゅんしょく》 殉難《じゅんなん》
12	循	ジュン	彳 ぎょうにんべん	循環《じゅんかん》 因循《いんじゅん》
11	庶	ショ	广 まだれ	庶民《しょみん》 庶務《しょむ》
14	緒	ショ チョ お	糸 いとへん	緒戦《しょせん》・由緒《ゆいしょ》 情緒《じょうちょ》・鼻緒《はなお》
9	叙	ジョ	又 また	叙述《じょじゅつ》・叙景《じょけい》 叙勲《じょくん》
4	升	ショウ ます	十 じゅう	一升《いっしょう》 升目《ますめ》
7	抄	ショウ	扌 てへん	抄録《しょうろく》・抄本《しょうほん》 抄訳《しょうやく》
7	肖	ショウ	肉 にく	肖像《しょうぞう》 不肖《ふしょう》
8	尚	ショウ	⺌ しょう	尚早《しょうそう》 高尚《こうしょう》
10	宵	ショウ よい	宀 うかんむり	徹宵《てっしょう》・春宵《しゅんしょう》 宵《よい》の口《くち》
10	症	ショウ	疒 やまいだれ	症状《しょうじょう》・炎症《えんしょう》 重症《じゅうしょう》

10	祥	ショウ	ネ	しめすへん	発祥《はっしょう》・不祥事《ふしょうじ》 吉祥《きっしょう》（きちじょう）
11	渉	ショウ	氵	さんずい	渉外《しょうがい》・干渉《かんしょう》 交渉《こうしょう》
11	訟	ショウ	言	ごんべん	訴訟《そしょう》
12	硝	ショウ	石	いしへん	硝石《しょうせき》 硝酸《しょうさん》
12	粧	ショウ	米	こめへん	化粧《けしょう》
12	詔	ショウ みことのり	言	ごんべん	詔勅《しょうちょく》・詔書《しょうしょ》 詔《みことのり》
13	奨	ショウ	大	だい	奨励《しょうれい》・推奨《すいしょう》 奨学金《しょうがくきん》
14	彰	ショウ	彡	さんづくり	表彰《ひょうしょう》 顕彰《けんしょう》
17	償	ショウ つぐなう	亻	にんべん	弁償《べんしょう》・代償《だいしょう》 損失《そんしつ》を償《つぐな》う
17	礁	ショウ	石	いしへん	岩礁《がんしょう》・暗礁《あんしょう》 さんご礁《しょう》
9	浄	ジョウ	氵	さんずい	浄化《じょうか》・清浄《せいじょう》 不浄《ふじょう》・洗浄《せんじょう》
11	剰	ジョウ	刂	りっとう	剰余《じょうよ》・過剰《かじょう》 余剰《よじょう》
16	壌	ジョウ	土	つちへん	土壌《どじょう》
20	醸	ジョウ かもす	酉	とりへん	醸造《じょうぞう》・醸成《じょうせい》 醸《かも》し出《だ》す
9	津	シン つ	氵	さんずい	興味津津《きょうみしんしん》 津波《つなみ》
10	唇	シン くちびる	口	くち	口唇《こうしん》 唇《くちびる》をかむ
10	娠	シン	女	おんなへん	妊娠《にんしん》
11	紳	シン	糸	いとへん	紳士《しんし》
12	診	シン みる	言	ごんべん	診察《しんさつ》・診療《しんりょう》 患者《かんじゃ》を診《み》る
3	刃	ジン は	刀	かたな	自刃《じじん》・凶刃《きょうじん》 刃物《はもの》・両刃《りょうば》
6	迅	ジン	辶	しんにょう しんにゅう	迅速《じんそく》 疾風迅雷《しっぷうじんらい》
9	甚	ジン はなはだ はなはだしい	甘	かん あまい	甚大《じんだい》・幸甚《こうじん》 甚《はなは》だ良《よ》い
9 ス	帥	スイ	巾	はば	統帥《とうすい》 元帥《げんすい》
13	睡	スイ	目	めへん	睡眠《すいみん》・熟睡《じゅくすい》 午睡《ごすい》
8	枢	スウ	木	きへん	枢軸《すうじく》・枢要《すうよう》 中枢《ちゅうすう》
11	崇	スウ	山	やま	崇拝《すうはい》 崇高《すうこう》
11	据	すえる すわる	扌	てへん	腰《こし》を据《す》える 目《め》が据《す》わる
7	杉	すぎ	木	きへん	杉並木《すぎなみき》
8 セ	斉	セイ	斉	せい	斉唱《せいしょう》 一斉《いっせい》
10	逝	セイ ゆく いく	辶	しんにょう しんにゅう	逝去《せいきょ》・急逝《きゅうせい》 逝《ゆ》く・逝《い》く
14	誓	セイ ちかう	言	げん	誓約《せいやく》・宣誓《せんせい》 心《こころ》に誓《ちか》う
8	析	セキ	木	きへん	析出《せきしゅつ》・分析《ぶんせき》 解析《かいせき》
8	拙	セツ つたない	扌	てへん	拙劣《せつれつ》・巧拙《こうせつ》 拙《つたな》い文章《ぶんしょう》
9	窃	セツ	穴	あなかんむり	窃盗《せっとう》 窃取《せっしゅ》
5	仙	セン	亻	にんべん	仙人《せんにん》・仙骨《せんこつ》 水仙《すいせん》
10	栓	セン	木	きへん	栓抜《せんぬ》き 消火栓《しょうかせん》

画数	漢字	読み	部首	用例
11	旋	セン	方 ほうへん かたへん	旋回《せんかい》・旋律《せんりつ》 旋風《せんぷう》・周旋《しゅうせん》
13	践	セン	⻊ あしへん	実践《じっせん》
15	遷	セン	辶 しんにょう しんにゅう	遷延《せんえん》・遷都《せんと》 変遷《へんせん》
16	薦	セン すすめる	艹 くさかんむり	推薦《すいせん》・自薦《じせん》 会長《かいちょう》に薦《すす》める
17	繊	セン	糸 いとへん	繊細《せんさい》・繊維《せんい》 化繊《かせん》
13	禅	ゼン	礻 しめすへん	禅宗《ぜんしゅう》・禅寺《ぜんでら》 座禅《ざぜん》
14	漸	ゼン	氵 さんずい	漸次《ぜんじ》 漸進的《ぜんしんてき》
10 ソ	租	ソ	禾 のぎへん	租税《そぜい》 公租公課《こうそこうか》
12	疎	ソ うとい うとむ	𤴔 ひきへん	疎密《そみつ》・疎外《そがい》 事情《じじょう》に疎《うと》い
13	塑	ソ	土 つち	塑像《そぞう》・彫塑《ちょうそ》 可塑性《かそせい》
6	壮	ソウ	士 さむらい	壮大《そうだい》・壮健《そうけん》 気宇壮大《きうそうだい》
9	荘	ソウ	艹 くさかんむり	荘厳《そうごん》・荘重《そうちょう》 別荘《べっそう》
10	捜	ソウ さがす	扌 てへん	捜索《そうさく》・捜査《そうさ》 人《ひと》を捜《さが》す
10	挿	ソウ さす	扌 てへん	挿入《そうにゅう》・挿話《そうわ》 挿《さ》し木《き》
11	曹	ソウ	曰 ひらび いわく	法曹《ほうそう》 陸曹《りくそう》
12	喪	ソウ も	口 くち	喪失《そうしつ》・喪服《もふく》 喪主《もしゅ》
15	槽	ソウ	木 きへん	水槽《すいそう》 浴槽《よくそう》
17	霜	ソウ しも	雨 あめかんむり	秋霜烈日《しゅうそうれつじつ》 霜柱《しもばしら》・初霜《はつしも》
19	藻	ソウ も	艹 くさかんむり	海藻《かいそう》 藻《も》くず
7 タ	妥	ダ	女 おんな	妥当《だとう》・妥結《だけつ》 妥協《だきょう》
12	堕	ダ	土 つち	堕落《だらく》
12	惰	ダ	忄 りっしんべん	惰眠《だみん》・惰性《だせい》 怠惰《たいだ》
14	駄	ダ	馬 うまへん	駄作《ださく》・無駄《むだ》 駄菓子《だがし》
10	泰	タイ	氺 したみず	泰斗《たいと》・安泰《あんたい》 泰然自若《たいぜんじじゃく》
17	濯	タク	氵 さんずい	洗濯《せんたく》
7	但	ただし	亻 にんべん	但《ただ》し書《が》き
12	棚	たな	木 きへん	戸棚《とだな》・本棚《ほんだな》 大陸棚《たいりくだな》
13 チ	痴	チ	疒 やまいだれ	痴情《ちじょう》 愚痴《ぐち》
10	逐	チク	辶 しんにょう しんにゅう	逐次《ちくじ》・逐一《ちくいち》 駆逐《くちく》
10	秩	チツ	禾 のぎへん	安寧秩序《あんねいちつじょ》
14	嫡	チャク	女 おんなへん	嫡子《ちゃくし》 嫡流《ちゃくりゅう》
9	衷	チュウ	衣 ころも	衷心《ちゅうしん》・折衷《せっちゅう》 苦衷《くちゅう》
4	弔	チョウ とむらう	弓 ゆみ	弔問《ちょうもん》・慶弔《けいちょう》 弔《とむら》いの言葉《ことば》
9	挑	チョウ いどむ	扌 てへん	挑戦《ちょうせん》・挑発《ちょうはつ》 決戦《けっせん》を挑《いど》む
11	眺	チョウ ながめる	目 めへん	眺望《ちょうぼう》 空《そら》を眺《なが》める
11	釣	チョウ つる	金 かねへん	釣果《ちょうか》・釣魚《ちょうぎょ》 釣《つ》り合《あ》い

画数	索引	漢字	読み	部首	部首名	用例
18		懲	チョウ こりる こらす こらしめる	心	こころ	懲罰《ちょうばつ》・懲役《ちょうえき》 失敗《しっぱい》に懲《こ》りる
9		勅	チョク	力	ちから	勅語《ちょくご》・勅使《ちょくし》 詔勅《しょうちょく》
10		朕	チン	月	つきへん	朕《ちん》は国家《こっか》なり
12	ツ	塚	つか	土	つちへん	貝塚《かいづか》
14		漬	つける つかる	氵	さんずい	塩漬《しおづ》け お茶《ちゃ》漬《づ》け
8		坪	つぼ	土	つちへん	坪数《つぼすう》 建坪《たてつぼ》
7	テ	呈	テイ	口	くち	呈上《ていじょう》・進呈《しんてい》 贈呈《ぞうてい》
7		廷	テイ	廴	えんにょう	宮廷《きゅうてい》・法廷《ほうてい》 出廷《しゅってい》
8		邸	テイ	阝	おおざと	邸宅《ていたく》・邸内《ていない》 私邸《してい》
9		亭	テイ	亠	なべぶた けいさんかんむり	亭主《ていしゅ》 料亭《りょうてい》
9		貞	テイ	貝	かい こがい	貞淑《ていしゅく》・貞操《ていそう》 貞節《ていせつ》
10		逓	テイ	辶	しんにょう しんにゅう	逓信《ていしん》・逓送《ていそう》 逓減《ていげん》
11		偵	テイ	亻	にんべん	偵察《ていさつ》・探偵《たんてい》 内偵《ないてい》
13		艇	テイ	舟	ふねへん	艦艇《かんてい》・船艇《せんてい》 競艇《きょうてい》
8		泥	デイ どろ	氵	さんずい	泥土《でいど》・拘泥《こうでい》 泥沼《どろぬま》・泥棒《どろぼう》
8		迭	テツ	辶	しんにょう しんにゅう	更迭《こうてつ》
15		徹	テツ	彳	ぎょうにんべん	徹底《てってい》・徹夜《てつや》 貫徹《かんてつ》
15		撤	テツ	扌	てへん	撤去《てっきょ》・撤回《てっかい》 撤兵《てっぺい》
11	ト	悼	トウ いたむ	忄	りっしんべん	悼辞《とうじ》・哀悼《あいとう》 友《とも》の死《し》を悼《いた》む
12		搭	トウ	扌	てへん	搭載《とうさい》 搭乗《とうじょう》
12		棟	トウ むね むな	木	きへん	上棟《じょうとう》・病棟《びょうとう》 別棟《べつむね》・棟木《むなぎ》
12		筒	トウ つつ	⺮	たけかんむり	封筒《ふうとう》・水筒《すいとう》 筒抜《つつぬ》け
17		謄	トウ	言	げん	謄写《とうしゃ》 謄本《とうほん》
20		騰	トウ	馬	うま	騰貴《とうき》・暴騰《ぼうとう》 沸騰《ふっとう》
9		洞	ドウ ほら	氵	さんずい	洞察《どうさつ》・空洞《くうどう》 洞穴《ほらあな（どうけつ）》
13		督	トク	目	め	督促《とくそく》・督励《とくれい》 監督《かんとく》
5		凸	トツ	凵	うけばこ	凸版《とっぱん》・凹凸《おうとつ》 （凸凹《でこぼこ》）
4		屯	トン	屮	てつ	駐屯《ちゅうとん》
11	ナ	軟	ナン やわらか やわらかい	車	くるまへん	軟化《なんか》・軟弱《なんじゃく》 軟《やわ》らかい土《つち》
5	ニ	尼	ニ あま	尸	かばね しかばね	尼僧《にそう》・修道尼《しゅうどうに》 尼寺《あまでら》
7		妊	ニン	女	おんなへん	妊娠《にんしん》・懐妊《かいにん》 不妊《ふにん》・妊婦《にんぷ》
7		忍	ニン しのぶ しのばせる	心	こころ	忍者《にんじゃ》・残忍《ざんにん》 忍《しの》び足《あし》
14	ネ	寧	ネイ	宀	うかんむり	丁寧《ていねい》 安寧秩序《あんねいちつじょ》
7	ハ	把	ハ	扌	てへん	把握《はあく》・把持《はじ》 一把《いちわ》・十把《じっぱ》
19		覇	ハ	襾	おおいかんむり	覇者《はしゃ》・覇権《はけん》 制覇《せいは》
12		廃	ハイ すたれる すたる	广	まだれ	廃止《はいし》・廃物《はいぶつ》 はやり廃《すた》り

見出し	画数	漢字	読み	部首	部首名	用例
	11	培	バイ つちかう	土	つちへん	培養《ばいよう》・栽培《さいばい》 愛国心《あいこくしん》を培《つちか》う
	12	媒	バイ	女	おんなへん	媒介《ばいかい》・媒体《ばいたい》 触媒《しょくばい》
	15	賠	バイ	貝	かいへん	賠償《ばいしょう》
	7	伯	ハク	亻	にんべん	伯仲《はくちゅう》・伯爵《はくしゃく》 画伯《がはく》・(伯父《おじ》)
	11	舶	ハク	舟	ふねへん	舶来《はくらい》 船舶《せんぱく》
	13	漠	バク	氵	さんずい	漠然《ばくぜん》・広漠《こうばく》 砂漠《さばく》
	6	肌	はだ	月	にくづき	肌色《はだいろ》 地肌《じはだ》
	13	鉢	ハチ ハツ	金	かねへん	植木鉢《うえきばち》 衣鉢《いはつ》
	14	閥	バツ	門	もんがまえ	門閥《もんばつ》・財閥《ざいばつ》 派閥《はばつ》
	13	煩	ハン ボン わずらう わずらわす	火	ひへん	煩雑《はんざつ》・煩悩《ぼんのう》 人《ひと》の手《て》を煩《わずら》わす
	13	頒	ハン	頁	おおがい	頒布《はんぷ》 頒価《はんか》
ヒ	6	妃	ヒ	女	おんなへん	妃殿下《ひでんか》 王妃《おうひ》
	8	披	ヒ	扌	てへん	披見《ひけん》・披露《ひろう》 直披《じきひ(ちょくひ)》
	12	扉	ヒ とびら	戸	とだれ とかんむり	開扉《かいひ》・門扉《もんぴ》 校門《こうもん》の扉《とびら》
	15	罷	ヒ	罒	あみがしら あみめ よこめ	罷業《ひぎょう》 罷免《ひめん》
	11	猫	ビョウ ねこ	犭	けものへん	愛猫《あいびょう》 猫《ねこ》の額《ひたい》
	15	賓	ヒン	貝	かい こがい	賓客《ひんきゃく》・主賓《しゅひん》 来賓《らいひん》・国賓《こくひん》
	17	頻	ヒン	頁	おおがい	頻度《ひんど》・頻発《ひんぱつ》 頻繁《ひんぱん》
	11	瓶	ビン	瓦	かわら	瓶詰《びんづめ》 花瓶《かびん》
フ	7	扶	フ	扌	てへん	扶助《ふじょ》・扶養《ふよう》 扶育《ふいく》
	8	附	フ	阝	こざとへん	附属《ふぞく》 寄附《きふ》
	19	譜	フ	言	ごんべん	系譜《けいふ》・楽譜《がくふ》 年譜《ねんぷ》
	8	侮	ブ あなどる	亻	にんべん	侮辱《ぶじょく》・軽侮《けいぶ》 実力《じつりょく》を侮《あなど》る
	8	沸	フツ わく わかす	氵	さんずい	沸騰《ふっとう》・沸点《ふってん》 湯《ゆ》を沸《わ》かす
	12	雰	フン	雨	あめかんむり	雰囲気《ふんいき》
	15	憤	フン いきどおる	忄	りっしんべん	憤慨《ふんがい》・義憤《ぎふん》 暴挙《ぼうきょ》に憤《いきどお》る
ヘ	5	丙	ヘイ	一	いち	丙種《へいしゅ》 甲乙丙《こうおつへい》
	8	併	ヘイ あわせる	亻	にんべん	併合《へいごう》・合併《がっぺい》 両市《りょうし》を併《あわ》せる
	12	塀	ヘイ	土	つちへん	板塀《いたべい》 土塀《どべい》
	15	幣	ヘイ	巾	はば	貨幣《かへい》・紙幣《しへい》 御幣担《ごへいかつ》ぎ
	15	弊	ヘイ	廾	こまぬき にじゅうあし	弊害《へいがい》・旧弊《きゅうへい》 疲弊《ひへい》
	11	偏	ヘン かたよる	亻	にんべん	偏向《へんこう》・偏見《へんけん》 偏《かたよ》った考《かんが》え
	12	遍	ヘン	辶	しんにょう しんにゅう	遍歴《へんれき》・普遍《ふへん》 一遍《いっぺん》
ホ	8	泡	ホウ あわ	氵	さんずい	気泡《きほう》・水泡《すいほう》 泡立《あわだ》つ
	10	俸	ホウ	亻	にんべん	俸給《ほうきゅう》・年俸《ねんぽう》 本俸《ほんぽう》
	15	褒	ホウ ほめる	衣	ころも	褒賞《ほうしょう》・褒美《ほうび》 善行《ぜんこう》を褒《ほ》める

見出し	画数	漢字	読み	部首	部首名	用例
	10	剖	ボウ	刂	りっとう	解剖《かいぼう》
	10	紡	ボウ つむぐ	糸	いとへん	紡績《ぼうせき》・混紡《こんぼう》 わたを紡《つむ》ぐ
	6	朴	ボク	木	きへん	純朴《じゅんぼく》 素朴《そぼく》
	14	僕	ボク	イ	にんべん	公僕《こうぼく》 下僕《げぼく》
	15	撲	ボク	扌	てへん	撲殺《ぼくさつ》・打撲《だぼく》 撲滅《ぼくめつ》・(相撲《すもう》)
	11	堀	ほり	土	つちへん	外堀《そとぼり》 釣《つ》り堀《ぼり》
	8	奔	ホン	大	だい	奔走《ほんそう》・奔放《ほんぽう》 出奔《しゅっぽん》
マ	11	麻	マ あさ	麻	あさ	麻薬《まやく》・麻酔《ますい》 麻糸《あさいと》
	15	摩	マ	手	て	摩擦《まさつ》 摩天楼《まてんろう》
	16	磨	マ みがく	石	いし	研磨《けんま》・磨滅《まめつ》 磨《みが》き粉《こ》
	8	抹	マツ	扌	てへん	抹殺《まっさつ》・抹消《まっしょう》 一抹《いちまつ》
ミ	8	岬	みさき	山	やまへん	室戸《むろと》岬《みさき》
メ	14	銘	メイ	金	かねへん	銘柄《めいがら》・碑銘《ひめい》 座右《ざゆう》の銘《めい》
モ	6	妄	モウ ボウ	女	おんな	妄信《もうしん》・妄想《もうそう》 妄言《もうげん(ぼうげん)》
	8	盲	モウ	目	め	盲点《もうてん》・盲従《もうじゅう》 盲亀浮木《もうきふぼく》
	10	耗	モウ コウ	耒	すきへん らいすき	消耗《しょうもう(しょうこう)》 心神耗弱《しんしんこうじゃく》
ヤ	4	厄	ヤク	厂	がんだれ	厄年《やくどし》 災厄《さいやく》
ユ	12	愉	ユ	忄	りっしんべん	愉快《ゆかい》 愉悦《ゆえつ》
	16	諭	ユ さとす	言	ごんべん	諭旨《ゆし》・教諭《きょうゆ》 懇懇《こんこん》と諭《さと》す
	18	癒	ユ いえる いやす	疒	やまいだれ	癒着《ゆちゃく》・治癒《ちゆ》 傷《きず》を癒《い》やす
	11	唯	ユイ イ	口	くちへん	唯一《ゆいいつ》・唯物論《ゆいぶつろん》 唯唯諾諾《いいだくだく》
	11	悠	ユウ	心	こころ	悠然《ゆうぜん》・悠長《ゆうちょう》 悠悠自適《ゆうゆうじてき》
	12	猶	ユウ	犭	けものへん	猶予《ゆうよ》
	12	裕	ユウ	衤	ころもへん	裕福《ゆうふく》・富裕《ふゆう》 余裕《よゆう》
	16	融	ユウ	虫	むし	融解《ゆうかい》・融和《ゆうわ》 金融《きんゆう》
ヨ	11	庸	ヨウ	广	まだれ	凡庸《ぼんよう》 中庸《ちゅうよう》
	15	窯	ヨウ かま	穴	あなかんむり	窯業《ようぎょう》 窯元《かまもと》
ラ	19	羅	ラ	罒	あみがしら あみめ よこめ	羅列《られつ》・網羅《もうら》 羅針盤《らしんばん》
	13	酪	ラク	酉	とりへん	酪農《らくのう》
リ	12	痢	リ	疒	やまいだれ	疫痢《えきり》・下痢《げり》 赤痢《せきり》
	15	履	リ はく	尸	かばね しかばね	履歴《りれき》・(草履《ぞうり》) くつを履《は》く
	9	柳	リュウ やなぎ	木	きへん	川柳《せんりゅう》・花柳界《かりゅうかい》 柳腰《やなぎごし》
	10	竜	リュウ たつ	竜	りゅう	竜宮《りゅうぐう》・登竜門《とうりゅうもん》 竜巻《たつまき》
	12	硫	リュウ	石	いしへん	硫酸《りゅうさん》・硫化銀《りゅうかぎん》 (硫黄《いおう》)
	13	虜	リョ	虍	とらがしら とらかんむり	虜囚《りょしゅう》 捕虜《ほりょ》
	11	涼	リョウ すずしい すずむ	氵	さんずい	涼味《りょうみ》・納涼《のうりょう》 夕涼《ゆうすず》み

	14	僚	リョウ	イ	にんべん	僚友《りょうゆう》・官僚《かんりょう》 同僚《どうりょう》
	15	寮	リョウ	宀	うかんむり	寮生《りょうせい》・寮母《りょうぼ》 独身寮《どくしんりょう》
	10	倫	リン	イ	にんべん	倫理《りんり》・人倫《じんりん》 絶倫《ぜつりん》
ル	11	累	ルイ	糸	いと	累計《るいけい》・累積《るいせき》 係累《けいるい》
	12	塁	ルイ	土	つち	塁審《るいしん》・満塁《まんるい》 土塁《どるい》・盗塁《とうるい》
レ	7	戻	レイ もどす もどる	戸	とだれ とかんむり	返戻《へんれい》 後戻《あともど》り
	13	鈴	レイ リン すず	金	かねへん	電鈴《でんれい》・振鈴《しんれい》 風鈴《ふうりん》・鈴《すず》なり
ワ	13	賄	ワイ まかなう	貝	かいへん	収賄《しゅうわい》・贈賄《ぞうわい》 一万円《いちまんえん》で賄《まかな》う
	8	枠	わく	木	きへん	枠内《わくない》・窓枠《まどわく》 黒枠《くろわく》

計 三二一八字

「部首」で出題される下級の漢字

2級試験の部首への出題が予想される準2級より下級の漢字とその部首です。難しいものもあるので、しっかり覚えましょう。

5級以下の配当漢字

愛	案	以	員	衛	央	可	何	我	画	界	
心	木	人	口	行	大	口	亻	戈	田	田	
街	楽	幹	希	基	貴	器	義	疑	久	旧	求
行	木	干	巾	土	貝	口	羊	疋	ノ	日	水
競	業	禁	句	具	君	軍	系	景	警	券	元
立	木	示	口	八	口	車	糸	日	言	刀	儿
原	厳	固	五	后	幸	皇	興	穀	困	差	再
厂	⺍	囗	二	口	干	白	臼	禾	囗	工	冂
祭	最	裁	在	罪	冊	参	産	四	市	史	司
示	曰	衣	土	罒	冂	厶	生	囗	巾	口	口
死	姿	視	歯	次	児	辞	者	尺	酒	受	州
歹	女	見	歯	欠	儿	辛	耂	尸	酉	又	川

周	衆	重	熟	術	準	処	初	所	書	署	承	将	章	勝
口	血	里	灬	行	氵	几	刀	戸	曰	罒	手	寸	立	力
象	照	乗	常	申	真	新	垂	世	成	省	盛	静	整	席
豕	灬	ノ	巾	田	目	斤	土	一	戈	目	皿	青	攵	巾
宣	泉	戦	前	然	善	争	奏	窓	束	卒	率	存	尊	帯
宀	水	戈	刂	灬	口	亅	大	穴	木	十	玄	子	寸	巾
台	題	炭	男	置	着	昼	兆	直	賃	弟	底	努	冬	東
口	頁	火	田	罒	羊	日	儿	目	貝	弓	广	力	冫	木
登	同	堂	毒	南	乳	熱	年	売	買	博	半	番	美	必
癶	口	土	毋	十	乚	灬	干	士	貝	十	十	田	羊	心

望	亡	報	墓	勉	弁	変	並	兵	分	奮	武	負	票	表
月	亠	土	土	力	廾	夂	一	八	刀	大	止	貝	示	衣
卵	乱	養	勇	有	由	夜	鳴	命	夢	無	務	民	密	暴
卩	乚	食	力	月	田	夕	鳥	口	夕	灬	力	氏	宀	日
慰	為	威	哀	3級・4級 配当漢字	六	労	老	歴	令	臨	量	良	両	裏
心	灬	女	口		八	力	耂	止	人	臣	里	艮	一	衣
及	喫	輝	棄	幾	奇	乾	甘	皆	戒	介	雅	架	奥	壱
又	口	車	木	幺	大	乙	甘	白	戈	人	隹	木	大	士
載	歳	克	豪	更	甲	互	鼓	雇	玄	堅	兼	響	巨	丘
車	止	儿	豕	曰	田	二	鼓	隹	玄	土	八	音	工	一
衝	焦	昇	匠	盾	巡	旬	秀	寿	朱	釈	執	雌	紫	暫
行	灬	日	匚	目	巛	日	禾	寸	木	釆	土	隹	糸	日
卓	替	耐	葬	占	隻	斥	井	是	衰	尋	辛	辱	畳	丈
十	曰	而	艹	卜	隹	斤	二	日	衣	寸	辛	辰	田	一
婆	弐	唐	倒	怒	斗	哲	帝	墜	窒	畜	致	恥	丹	奪
女	弋	口	亻	心	斗	口	巾	土	穴	田	至	心	丶	大
魔	凡	墨	乏	奉	慕	募	舗	壁	覆	舞	匹	卑	罰	髪
鬼	几	土	丿	大	小	力	舌	土	襾	舛	匚	十	罒	髟
齢	隷	療	了	慮	離	吏	翼	誉	与	憂	雄	幽	黙	矛
歯	隶	疒	亅	心	隹	口	羽	言	一	心	隹	幺	黒	矛
										惑	裂	烈	劣	麗
										心	衣	灬	力	鹿

「読み」で出題される下級の漢字

3級以下の配当漢字のうちで高校で習う読みのあるものを集めました。2級試験に出題が予想されるので、しっかりと覚えましょう。

◀漢字
◀読み　カタカナは音、ひらがなは訓、赤文字は送りがな。
◀用語例

漢字	読み	用語例
悪	オ	悪寒
依	エ	帰依《きえ》
因	よる	漏電に因る火災
栄	はえ はえる	栄えある優勝 礼装が栄える
詠	よむ	短歌を詠む
益	ヤク	御利益
遠	オン	久遠《くおん》
汚	けがす・けがれる けがらわしい	末席を汚す 汚らわしい話
押	オウ	押収・押印
殴	オウ	殴打・殴殺
桜	オウ	桜花《おうか》・観桜《かんおう》
奥	オウ	深奥
火	ほ	火影
価	あたい	価千金
華	ケ	香華《こうげ》・散華《さんげ》
過	あやまつ あやまち	身を過つ 過ちを繰り返す
嫁	カ	転嫁
回	エ	回向《えこう》
会	エ	会得・会釈
解	ゲ	解毒・解熱
各	おのおの	各の考え方
格	コウ	格子戸
鑑	かんがみる	前例に鑑みる
眼	ゲン	開眼
忌	いむ いまわしい	死を忌む 忌まわしい事件
基	もとい	国の基
期	ゴ	末期・最期
戯	たわむれる	猫《ねこ》と戯れる
詰	キツ	詰問・難詰
脚	キャ	脚立《きゃたつ》・行脚《あんぎゃ》
虐	しいたげる	動物を虐げる
久	ク	久遠《くおん》
宮	ク	宮内庁
虚	コ	虚空・虚無僧
供	ク	供物《くもつ》・供養
狭	キョウ	狭量・偏狭
脅	おびやかす	王座を脅かす
競	せる	相場を競る
仰	おおせ	仰せの通り
業	ゴウ	悪業・非業
勤	ゴン	勤行《ごんぎょう》
契	ちぎる	契りを結ぶ
憩	いこう	公園で憩う
潔	いさぎよい	潔い態度
肩	ケン	強肩・双肩
建	コン	建立《こんりゅう》
絹	ケン	人絹・絹糸
権	ゴン	権化《ごんげ》・権現
験	ゲン	霊験《れいげん》 「れいけん」とも読む。
厳	ゴン	荘厳
庫	ク	庫裏《くり》
鼓	つづみ	鼓を打つ
功	ク	功徳《くどく》
行	アン	行脚《あんぎゃ》・行火《あんか》
更	ふける ふかす	夜が更ける 夜更かし
香	キョウ	香車・香子《きょうす》
候	そうろう	居候・候文
控	コウ	控訴・控除
慌	コウ	恐慌
絞	コウ	絞殺・絞首刑
興	おこる おこす	産業が興る 会社を興す
彩	いろどる	食卓を花で彩る
際	きわ	際立つ・手際《てぎわ》
搾	サク	搾取・圧搾

冊	サク	短冊《たんざく》
殺	サイ セツ	相殺《そうさい》・殺生《せっしょう》
惨	ザン みじめ	惨死 惨めな思い
産	うぶ	産声・産着 産毛
酸	すい	酸い味
仕	ジ	給仕
矢	シ	一矢を報いる
旨	むね	その旨を伝える
伺	シ	伺候《しこう》
枝	シ	樹枝 枝葉末節《しようまっせつ》
施	セ	施工・布施
事	ズ	好事家《こうずか》
慈	いつくしむ	孫を慈しむ
質	チ	言質《げんち》「げんしつ」は慣用読み
煮	シャ	煮沸
若	ニャク もしくは	老若男女《ろうにゃくなんにょ》
寂	セキ	寂然《せきぜん》「じゃくねん」とも読む
主	ス	坊主《ぼうず》・法主《ほっす》
秀	ひいでる	語学に秀でる
就	じゅ	成就《じょうじゅ》
衆	シュ	衆生《しゅじょう》
従	ショウ ジュ	従容《しょうよう》・従《じゅ》五位
祝	シュウ	祝言・祝儀
瞬	またたく	瞬く間《ま》 星が瞬く
初	うい	初陣
女	ニョウ	女房
如	ニョ	如実・如意
沼	ショウ	湖沼・沼沢《しょうたく》
焦	あせる	勝ちを焦る
障	さわる	しゃくに障る
上	ショウ	身上《しんしょう》を築く 上人《しょうにん》
常	とこ	常夏《とこなつ》
情	セイ	風情《ふぜい》
食	ジキ くらう	断食 罰を食らう
織	ショク	紡織・織女
辱	はずかしめる	人前で辱める
神	こう	神神《こうごう》しい姿
穂	スイ	出穂《しゅっすい》
数	ス	数寄屋《すきや》
井	セイ	市井《しせい》・油井
声	ショウ	大音声《だいおんじょう》
成	ジョウ	成就《じょうじゅ》・成仏
青	ショウ	緑青《ろくしょう》・紺青《こんじょう》
政	ショウ まつりごと	摂政《せっしょう》・政殿《まつりごとどの》
清	ショウ	六根清浄《しょうじょう》
盛	ジョウ	繁盛
婿	セイ	女婿《じょせい》
請	シン こう	普請 協力を請う
赤	シャク	赤銅《しゃくどう》
昔	セキ	昔日《せきじつ》
接	つぐ	骨を接ぐ
節	セチ	お節料理
説	ゼイ	遊説
染	しみる しみ	社風に染みる 染み抜き
阻	はばむ	進路を阻む
礎	いしずえ	近代医学の礎
奏	かなでる	ギターを奏でる
桑	ソウ	桑園
巣	ソウ	卵巣・巣くつ
葬	ほうむる	闇に葬る
装	よそおう	平気を装う
想	ソ	愛想「あいそう」とも読む
操	みさお	操を立てる
袋	タイ	風袋
担	かつぐ になう	縁起を担ぐ 責任を担う
端	は	端数・端役
団	トン	布団
壇	タン	土壇場《どたんば》
着	ジャク	執着「しゅうちゃく」とも読む
沖	チュウ	沖天・沖積層
兆	きざす きざし	新芽が兆す 春の兆し
澄	チョウ	清澄・澄明

鎮	しずめる しずまる	痛みを鎮める 暴動が鎮まる
通	ツ	通夜
定	さだか	定かでない
滴	したたる	汗が滴る
天	あめ	天が下
度	ト	法度《はっと》
灯	ひ	街の灯
統	すべる	国を統べる
頭	ト	音頭《おんど》
道	トウ	神道
南	ナ	南無阿弥陀仏《なむあみだぶつ》
難	かたい	想像に難くない
納	ナ ナン	納屋《なや》・納戸《なんど》
白	ビャク	黒白
博	バク	博労・博徒
反	ホン	謀反《むほん》
坂	ハン	急坂・登坂
否	いな	賛成か否か
卑	いやしい いやしむ いやしめる	金に卑しい おのれを卑しむ 他人を卑しめる
泌	ヒ	泌尿器
氷	ひ	氷雨《ひさめ》・氷室
苗	ビョウ	種苗《しゅびょう》
病	ヘイ	疾病《しっぺい》
富	フウ	富貴
敷	フ	敷設
風	フ	風情《ふぜい》
覆	くつがえす くつがえる	判決を覆す 政府が覆る
払	フツ	払暁・払底《ふってい》
聞	モン	前代未聞
柄	ヘイ	横柄《おうへい》・葉柄
歩	フ	将棋の歩
芳	かんばしい	芳しい花
奉	たてまつる	会長に奉る
法	ハッ ホッ	法度《はっと》・法主《ほっす》
倣	ならう	前例に倣う
亡	モウ ない	亡者《もうじゃ》・亡《な》き人
傍	かたわら	道の傍ら 仕事の傍ら読書
暴	あばく	墓を暴く
謀	ム はかる	謀反《むほん》 悪事を謀る
翻	ひるがえる ひるがえす	国旗が翻る 身を翻す
凡	ハン	凡例
末	バツ	末弟《ばってい》「まってい」とも読む
免	まぬかれる	罪を免れる
面	つら	面構え 面汚し
目	ま	目の当たり
由	ユイ よし	由緒 お元気の由
遊	ユ	物見遊山《ものみゆさん》
憂	うい	物憂い秋の一日
腰	ヨウ	腰痛
謡	うたい うたう	謡物《うたいもの》 謡曲《ようきょく》を謡う
欲	ほっする	名誉を欲する
絡	からむ からまる からめる	情が絡む 糸が絡まる
利	きく	顔が利く
立	リュウ	建立《こんりゅう》
律	リチ	律儀（義）
流	ル	流転・流浪
陵	みささぎ	天皇の陵
糧	ロウ かて	兵糧《ひょうろう》 日日の糧《かて》
緑	ロク	緑青《ろくしょう》
礼	ライ	礼賛・礼拝
霊	リョウ たま	悪霊 霊《たま》送り
麗	うるわしい	見目《みめ》麗しい
老	ふける	父が老けた
和	オ	和尚

2級に出る四字熟語

2級試験に出題されそうな四字熟語を収めました。四字熟語は意味といっしょに覚えるといいです。

あ

哀毀《あいき》骨立《こつりつ》
非常に悲しいこと。親と死別したことにとても悲しむこと。

悪事《あくじ》千里《せんり》
とかく悪い行いや評判は、すぐに広範囲に知れわたるということ。

暗中《あんちゅう》飛躍《ひやく》
世間に知られないようにひそかに裏面で策をねり行動すること。暗躍。類語に「**裏面工作**」がある。

暗中《あんちゅう》模索《もさく》
手がかりがないまま、あてもなくさぐり求めること。

安寧《あんねい》秩序《ちつじょ》
国や社会が安定を保ち、秩序立っていること。

い

唯唯《いい》諾諾《だくだく》
事の善悪にかかわらず、人の言うことに二つ返事で従うさま。人の言いなりになっておもねるさま。

遺憾《いかん》千万《せんばん》
大変残念である。思いどおりにいかず、非常に心残り。「遺憾」は憾《うら》みを遺《のこ》す意。類語に「**残念至極**」がある。

衣冠《いかん》束帯《そくたい》
昔の貴族の礼服。

意気《いき》衝天《しょうてん》
元気がよく天を衝《つ》かんばかりに、勢いがよいこと。意気込み盛んなこと。類語に「**意気揚揚**」がある。

意気《いき》阻喪《そそう》
元気がなく、意気ごみがくじける。気力が衰えること。「阻」はくじける、「喪」はうしなう。対語に「意気衝天」がある。

衣錦《いきん》還郷《かんきょう》
成功者となって故郷に帰ること。「故郷に錦を飾る」と同じような意味。

医食《いしょく》同源《どうげん》
病気の治療も日々の食事も、源は同じだという東洋医学の考え。

異端《いたん》邪説《じゃせつ》
正統からはずれた意見や立場。

一行《いちぎょう》三昧《ざんまい》
心を一つにして熱心に仏道修行すること。

一期《いちご》一会《いちえ》
一生に一度会うこと。また、一度しか会う機会がないような不思議な縁。茶道の心得から出た語。

一汁《いちじゅう》一菜《いっさい》
たいへん質素、粗末な食事のこと。「菜」はおかず。

一網《いちもう》打尽《だじん》
網を一打ちしてその周辺にいる魚を残らずとらえること。転じて、一度に悪党の一味や敵対する者すべてをとらえつくすこと。

一目《いちもく》瞭然《りょうぜん》
ひと目見ただけではっきりとわかること。

一陽《いちよう》来復《らいふく》
冬が終わって春がやってくること。悪いことや苦しい時期が過ぎて、待ちかねた幸運がやっとめぐりくること。

一騎《いっき》当千《とうせん》
一人の騎兵が千人の敵を相手に戦うほど、強い力を持っていること。

一子《いっし》相伝《そうでん》
学問や技術などの奥義を、跡継ぎにするため、自分の子一人だけに伝えて、他の人々にはもらさないこと。

一所《いっしょ》懸命《けんめい》
物事を真剣に行うさま。「一生懸命」ともいう。

一視《いっし》同仁《どうじん》
差別をせず、すべての人を平等に見て、いつくしみ扱うこと。差別待遇や特別待遇をしないこと。「仁」は愛。

一殺《いっせつ》多生《たしょう》
「一殺」は「いっさつ」とも読む。大きな利益の前に、小さな害を行うこと。

一旦《いったん》緩急《かんきゅう》
ひとたび緊急事態となった場合。いざというとき。

一朝《いっちょう》一夕《いっせき》
一日か一晩。転じて、短いとき。

一筆《いっぴつ》抹殺《まっさつ》
一筆《ひとふで》で一気に塗り消す。慎重に考えず、長所や成果などをもろとも否定すること。

意到《いとう》筆随《ひつずい》
詩文などが心のままにすらすらと作れること。

意馬心猿《いばしんえん》
馬がやみくもに突っ走り、猿がきいきいと騒ぎ立てるのが制しがたいように、煩悩《ぼんのう》や欲情の抑えがたいこと。

威風堂堂《いふうどうどう》
威厳に満ちあふれていて立派であるさま。気勢が盛んなこと。

隠忍自重《いんにんじちょう》
じっと我慢して軽々しい言動を慎むこと。

う

羽化登仙《うかとうせん》
中国の古い信仰で、人間の身に羽が生え、仙人となって天に昇ること。酒などに酔って良い気分になることのたとえ。

雲泥万里《うんでいばんり》
差異が非常に大きいことのたとえ。

え

栄枯盛衰《えいこせいすい》
人や家の栄えたり衰えたりすること。

会者定離《えしゃじょうり》
会った者は必ず別れる運命にある。人生の無常を説いた語。「定」は必ず。

円転滑脱《えんてんかつだつ》
なめらかで、よく変化して自由自在なこと。人との対応が角立たず、あかぬけして巧みなこと。

延命息災《えんめいそくさい》
命をのばして災いを取り去る。「息災」は災いをとめる。「息」はやむ、終わらせるの意。「延命」は「えんみょう」とも読む。類語に「**無病息災**」がある。

遠慮近憂《えんりょきんゆう》
先々の様々な変化や状態などを考えておかないと、心配事が起こりやすいということ。

お

岡目八目《おかめはちもく》
横から見ている者のほうが、当事者よりも状況を正確に判断できること。

屋上架屋《おくじょうかおく》
屋根の上にさらに屋根を架ける意で、無駄なことを繰り返したり、独創性のないことのたとえ。類語に「**屋下架屋**」がある。

温厚篤実《おんこうとくじつ》
短気を起こさず、いつも心が安定しており、誠実で信頼するに足る人柄。

怨親平等《おんしんびょうどう》
うらみがある憎い者も、親しくしている者も平等に扱うこと。

音信不通《おんしんふつう》
訪問や便りのないこと。「音信」は「いんしん」とも読む。

音吐朗朗《おんとろうろう》
声などが豊かでさわやかなこと。

か

蓋棺事定《がいかんじてい》
人は死んでから初めて、その人の評価が定まるということ。

開眼供養《かいげんくよう》
新たにつくった仏像などを建物の中に安置し、目を入れて魂を迎えるときの儀式。

外交辞令《がいこうじれい》
相手が喜ぶような、口先だけの話。お世辞。

外柔内剛《がいじゅうないごう》
外見は物柔らかに見えるが、実際はしんが強くしっかりしていること。対語に「**内柔外剛**」がある。

海誓山盟《かいせいさんめい》
海や山が永久に変わらないのと同じく、きわめて堅い誓いをいう。通例、男女の愛情についていう。

海内無双《かいだいむそう》
天下にならぶもののないこと。天下第一。「海内」は四海の内、国内、天下。「無双」は二つとない。類語に「**天下無双**」がある。

快刀乱麻《かいとうらんま》
「快刀乱麻を断つ」の略。切れ味のよい刀剣で乱れもつれた麻を切るという意から、紛糾《ふんきゅう》して解決の糸口を見失った物事をてきぱきと手ぎわよく処理すること。類語に「**一刀両断**」がある。

怪力乱神《かいりきらんしん》
人間の知恵では理解できない不思議な物事や、超自然的な現象のたとえ。「怪力」は「かいりょく」とも読む。

花紅柳緑《かこうりゅうりょく》
花は赤色、柳は緑色である。自然のままで少しも人工を加えない美しさ。

過剰防衛《かじょうぼうえい》
攻撃を受けた際に、必要な程度を超えて反撃すること。対語に「**正当防衛**」がある。

佳人薄命《かじんはくめい》
美人には不幸な者や短命な者が多いということ。「佳人」は美人。類語に「**美人薄命**」がある。

苛政猛虎《かせいもうこ》
民衆にとっては、人食

い虎よりも過酷な政治のほうがより恐ろしいこと。

画蛇添足《がだてんそく》
無用なものをつけ足すこと。蛇足《だそく》。

花鳥風月《かちょうふうげつ》
自然の美しい風景のこと。自然を題材とした詩歌や絵画をたしなむ風流。

合従連衡《がっしょうれんこう》
その時々の利害得失を考え、それに応じて各勢力が連合したり離反したりしながら、敵や問題に対処すること。

禍福無門《かふくむもん》
不善を働けばそれが禍の入る門、善行をなせばそれが福の入る門となる。類語に「自業自得」がある。

夏炉冬扇《かろとうせん》
夏の火ばちと冬の扇の意で、時節に合わず、役に立たないもの。「**冬扇夏炉**」ともいう。

感慨無量《かんがいむりょう》
言葉では言い表せないほど、胸いっぱいにしみじみと感じ入ること。

緩急自在《かんきゅうじざい》
速度や程度などを思いのままに操りながら、事に当たるさま。

汗牛充棟《かんぎゅうじゅうとう》
蔵書が非常に多いこと。また、多くの蔵書。牛車に乗せて運ぶと牛が汗をかき、家に積み重ねると棟がつかえるほど一杯になるの意。

甘言蜜語《かんげんみつご》
相手を誘い込むための甘く魅力的な言葉。

頑固一徹《がんこいってつ》
強情で周りの意見に耳を貸さず、自分の意見を押し通すこと。また、そのような性格。

換骨奪胎《かんこつだったい》
骨を取り換え、子の宿るところを奪って自分のものにすることから、先人の発想や趣旨を取り入れ、自分なりの語句で表現し、独自の新たな作品を作ること。現在では誤用が慣用化し、内容を少し変えただけの焼き直しの意味に用いられる。

勧善懲悪《かんぜんちょうあく》
善行を勧め励まし、悪事を懲らしめること。略して「勧懲《かんちょう》」という。

肝胆相照《かんたんそうしょう》
互いに心の底から理解しあって深くつき合うこと。「肝」は肝臓、「胆」は胆嚢《たんのう》、転じて心のうち、心の底のこと。

簡単明瞭《かんたんめいりょう》
単純ではっきりとしていること。わかりやすいこと。

歓天喜地《かんてんきち》
大いに喜ぶさま。類語に「**欣**《きん》**喜**《き》**雀**《じゃく》**躍**《やく》」「**狂喜乱舞**」がある。

玩物喪志《がんぶつそうし》
無用なものに心を奪われて、本来の志を見失ってしまうこと。

閑話休題《かんわきゅうだい》
無駄話をやめて、話を本筋にもどすときに用いる語。それはさておき。さて。「閑話」は「間話」とも書き、無駄話の意。「休題」は話をやめる。

き

気宇壮大《きうそうだい》
心持ち、度量が人並みはずれて大きいこと。

気炎万丈《きえんばんじょう》
燃え盛る炎のように、意気込みが強く激しいさま。

奇怪千万《きかいせんばん》
通常と変わっていて不気味、また、まったくけしからんこと。「千万」は程度がはなはだしいこと。

危急存亡《ききゅうそんぼう》
危険が迫っていて、生き残るかほろびるかのせとぎわのこと。「危急存亡の秋《とき》」と用いる。

亀甲獣骨《きっこうじゅうこつ》
亀の甲羅と獣の骨。古代中国では占いを行う際に使用していた。

窮山幽谷《きゅうざんゆうこく》
高い山、深い谷。「窮山」は奥深い山、「幽谷」は深くて暗い谷の意。

恐恐謹言《きょうきょうきんげん》
おそるおそるつつしんで申し上げる、の意。手紙の末尾に記して敬意を表す語。

教唆扇動《きょうさせんどう》
人をそそのかして、あおり立てること。また、悪事をけしかけること。

興味津津《きょうみしんしん》
興味が次々とわいてきて尽きないこと。「津津」は絶えずわき出て、あふれんばかりに多いさま。

玉石混交《ぎょくせきこんこう》
宝石と石ころが混じりあっていることから、よいものと悪いものが入り混じっている様子のこと。

玉石同砕《ぎょくせきどうさい》
善も悪も、また賢も愚

も、ともに滅びてなくなるたとえ。

錦衣玉食《きんいぎょくしょく》
食べ物にも衣服にもとても恵まれたぜいたくな生活のこと。

金科玉条《きんかぎょくじょう》
自らの絶対的なよりどころとして守るべき法律や決まり。「科」「条」は法律や決まりのこと。

勤倹尚武《きんけんしょうぶ》
よく働き、慎ましい生活をしながら武道に励む態度。

金枝玉葉《きんしぎょくよう》
天子や高貴な人の一族・子弟のこと。

謹厳実直《きんげんじっちょく》
まじめで正直、つつしみ深く誠実であること。

金城鉄壁《きんじょうてっぺき》
非常に守りが堅く、つけ込むすきが無いこと。

錦上添花《きんじょうてんか》
ただでさえ美しいものやよいものに対し、さらに美しいものやよいものを加えること。

く

偶像崇拝《ぐうぞうすうはい》
神像や仏像などを尊ぶ宗教的なあり方。

空中楼閣《くうちゅう(の)ろうかく》
空中に浮いて築かれている建造物（蜃気楼《しんきろう》）のように、実態や根拠、現実感がないさま。類語に「**砂上楼閣**」がある。

愚公移山《ぐこういざん》
「愚公山を移す」とも読み、根気よく努力すれば必ず成功するというたとえ。

愚者一得《ぐしゃのいっとく》
愚かな者でも、たまにはすぐれた知恵をだすことがあるということ。また、意見を述べるのに、けんそんしていう言葉。

苦爪楽髪《くづめらくがみ》
苦しい思いをしているときは爪が伸びて、楽な思いをしているときは髪が伸びるということ。「苦髪楽爪」ともいう。

愚問愚答《ぐもんぐとう》
愚かな質問と愚かな答え。何の価値もない無意味な問答のことをいう。

群雄割拠《ぐんゆうかっきょ》
多くの英雄が各地に根拠地を備えて互いに対立しているさま。「割拠」は自らの領地を根拠地としてたてこもること。

け

鯨飲馬食《げいいんばしょく》
鯨が海水を吸い込むようにたくさん酒を飲み、馬が草をはむようにたくさん食べるさま。類語に「**牛飲馬食**」「**暴飲暴食**」がある。

軽挙妄動《けいきょもうどう》
よく考えもせず軽はずみに行動すること。軽率な行動。

鶏口牛後《けいこうぎゅうご》
大きな組織の末端（牛の尻）で軽んじられるよりも、小さな組織で上の立場（鶏の口）に立つほうがよいということ。

軽薄短小《けいはくたんしょう》
うすっぺらで中身のないさま。

月下氷人《げっかひょうじん》
男女の仲をとりもつ人。仲人《なこうど》。媒酌人《ばいしゃくにん》。

兼愛無私《けんあいむし》
区別なく広く人を愛すること。

減価償却《げんかしょうきゃく》
固定資産の金額を、その耐用年数に従って減損額として各会計年度に分割し、回収する手続き。

犬牙相制《けんがそうせい》
国境が入り組んだ状態で互いにけん制し合うこと。

堅忍不抜《けんにんふばつ》
困難に負けず我慢強く耐えること。類語に「志操堅固《けんご》」がある。

権謀術数《けんぼうじゅっすう》
人をあざむくたくらみやはかりごと。「権謀」はその場に応じた策略、「術数」ははかりごと。

賢明愚昧《けんめいぐまい》
賢くて物事の道理に明るいことと、愚かで物事の道理にくらいこと。

こ

高歌放吟《こうかほうぎん》
あたりかまわず大声で歌うこと。「放歌高吟」ともいう。「放吟」は声を張り上げ詩歌を吟ずること。

厚顔無恥《こうがんむち》
あつかましくて恥知らずなさま。

綱紀粛正《こうきしゅくせい》
国の規律を引き締め、政治の不正を厳しく正すこと。

巧言令色《こうげんれいしょく》
巧みな言葉や、顔色をつくろったりすること。転じて、口先だけのことをいい、相手にこびへつらうこと。

後生可畏《こうせいかい》
自分よりも後に生まれた者や年少者はさまざまな可能性があり、将来どのような大物になるかわからないので、おそれ敬うべきであること。

巧遅拙速《こうちせっそく》
じょうずで遅いより、へたでも速いほうがよいの意。古くは兵法の語。

向天吐唾《こうてんとだ》
天に向かって唾を吐くと自分に返ってくるように、他人に害を加えようとした際に、逆に自らが害を受ける結果となること。

荒唐無稽《こうとうむけい》
「荒唐」「無稽」ともにでたらめの意。根拠がなくでたらめな話や考え。

公明正大《こうめいせいだい》
公正でかくしだてをせず、私心がないこと。類語に「**公平無私**」「**大公無私**」がある。

高論卓説《こうろんたくせつ》
すぐれた意見、論説のこと。

呉越同舟《ごえつどうしゅう》
仲の悪い者同士が同じ境遇や場所にいること。仲の悪い者同士が反目しあいながらも、利害の一致をみるときは協力しあうということ。

国士無双《こくしむそう》
国内に並ぶ者のないすぐれた人物。「国士」は国内ですぐれた人、「無双」は二つとないの意。

極楽往生《ごくらくおうじょう》
この世を去ってのち、極楽浄土《じょうど》に生まれ変わること。また、安らかに死ぬこと。

極楽浄土《ごくらくじょうど》
仏教で阿弥陀仏《あみだぶつ》がいる西方浄土のこと。

孤軍奮闘《こぐんふんとう》
援軍のない少数の軍勢で、敵対する勢力と懸命に闘うこと。味方のない中で必死に努力すること。

古今無双《ここんむそう》
昔から今に至るまで、他に比べるものがないこと。「無双」はならぶものがないという意。類語に「海内無双《かいだいむそう》」がある。

後生大事《ごしょうだいじ》
心を込めて励み、物を大事に扱うこと。

孤城落日《こじょうらくじつ》
孤立無援の城に、沈む夕日がさし込んでいる光景。勢力が傾き、助けもこない心細いさま。

誇大妄想《こだいもうそう》
自分の現状を実際以上に想像して事実のように思い込むこと。

虎頭蛇尾《ことうだび》
始めは勢いがあるが、終わりのころになると振るわなくなること。類語に「**竜頭蛇尾**」がある。

鼓腹撃壌《こふくげきじょう》
理想的な政治が人民にゆきとどいていることのたとえ。

孤立無援《こりつむえん》
独りぼっちで、だれも手を差しのべてくれない状態。類語に「**孤軍奮闘**」がある。

さ

西方浄土《さいほうじょうど》
阿弥陀仏《あみだぶつ》のいる苦しみの無い安楽の世界。西方十万億土の彼方にあるとされる。「**極楽浄土**」に同じ。「西方」は「せいほう」とは読まない。

砂上楼閣《さじょう(の)ろうかく》
「楼閣」は高い建物。砂の上では建物がすぐに崩れてしまう意から、長続きしない物事のたとえ。また、空想するだけで実現不可能な計画。

沙羅双樹《さらそうじゅ》
釈迦《しゃか》が入滅（死去）した際に、釈迦《しゃか》が横たわっていた場所の四辺に二本ずつあったといわれる木。

山河襟帯《さんがきんたい》
自然の要害のこと。山が襟《えり》のように取り囲み、河が帯のようにめぐって流れている地形。

残酷非道《ざんこくひどう》
道理や人情にそむき外れて、むごたらしいこと。類語に「**悪逆無道**」「**残虐非道**」がある。

三位一体《さんみいったい》
三つのものが緊密に結びついて、あたかも一つのようになること。

し

詩歌管弦《しいかかんげん》
漢詩・和歌と管楽器・弦楽器、すなわち文学と音楽のこと。

自家薬籠《じかやくろう》
いつなんどきでも役に立つもの。自分の手中にあり、思い通りになるものや人物のこと。

時期尚早《じきしょうそう》
行動を起こす時期としては、まだ早すぎること。

ある物事をするのに、まだ条件が適していないこと。

色即是空《しきそくぜくう》

仏教の根本思想の一つで、この世のすべての物には形があるが、形は実在ではなく本質は空である、という意。

試行錯誤《しこうさくご》

試みと失敗をくりかえしながら適切な方法をみつけること。試しに行って、まちがい誤るという意から。

自業自得《じごうじとく》

自分で原因をつくって、その悪い報いを自分で受けること。

事後承諾《じごしょうだく》

事がすんだあとで、それについての承諾を求める、また承諾をすること。

士魂商才《しこんしょうさい》

武士の高潔な精神と商人の計算高さ。

自縄自縛《じじょうじばく》

自分が作った縄《なわ》で自分を縛ること。自分自身の言動で自分が規制されて自由に動けず、結局は進退きわまってしまうこと。

志操堅固《しそうけんご》

正しいと信じる主義や志がしっかりと定まっていて、容易にはくずれないこと。

時代錯誤《じだいさくご》

時勢にふさわしくない考え方や行動。時代遅れであるさま。「錯誤」は、その人の思いや考えが、客観的な事実に合っていないこと。

質実剛健《しつじつごうけん》

飾り気がなく、まじめで、心身ともに強くしっかりしていること。

疾風迅雷《しっぷうじんらい》

強く吹く風と、激しい雷鳴のこと。転じて、なりゆきや変化、行動がすばやく激しいさま。

慈眉善目《じびぜんもく》

善良そうでやさしそうに見える顔立ちのこと。

雌伏雄飛《しふくゆうひ》

「雌伏」は人につき従うこと。「雄飛」は盛んに活躍すること。将来を期して低い地位に甘んじ、やがて大いに活躍することをいう。

四分五裂《しぶんごれつ》

ちりぢりばらばらに分裂すること。

車載斗量《しゃさいとりょう》

数量が非常に多いこと。また、それらすべてが平凡であることのたとえ。

遮二無二《しゃにむに》

二を断ち切り、二度目はないの意から、あれこれと他のことは考えず、そのことだけをがむしゃらになす。前後の見通しも持たず、むやみになすこと。

縦横無尽《じゅうおうむじん》

自由自在、思う存分に物事を行うさま。

衆寡不敵《しゅうかふてき》

小人数は、多人数にはかなわないこと。「衆寡敵せず」ともいう。

終始一貫《しゅうしいっかん》

始めから終わりまで態度や行動が変わらず同じであること。周りの変化に影響されることなく、主義主張を保ち続ける場合に用いる。類語に「首尾一貫」がある。

衆人環視《しゅうじんかんし》

多くの人が取り巻いて見ていること。物事が白日のもとにさらされることについてもいう。

秋霜烈日《しゅうそうれつじつ》

態度や処罰などが、非常に厳しいこと。秋の冷たい霜と強烈に照りつける太陽から転じた言葉。

周知徹底《しゅうちてってい》

世間一般、広くすみずみまで知れわたるようにすること。

自由奔放《じゆうほんぽう》

他者のことなど気にせずに、自分の思いどおりにふるまうさま。類語に「自在奔放」がある。

熟読玩味《じゅくどくがんみ》

文章をよく読み、その意味や内容をじっくり考えてよく味わうこと。

熟慮断行《じゅくりょだんこう》

十分に考えたうえで、思いきって実行すること。「断行」は断固として実行する意志のこと。

取捨選択《しゅしゃせんたく》

多くのものの中から、よいものや必要なものを選び取り、他は捨てること。

酒池肉林《しゅちにくりん》

きわめてぜいたくな酒宴の意。豪遊の限りを尽くすこと。

首尾一貫《しゅびいっかん》

始めから終わりまで一つの方針や態度を貫き通すこと。始めと終わりで矛盾しないさま。類語に「終始一貫」がある。

春宵一刻（しゅんしょう いっこく）
「春宵一刻値千金」の略。春の夜が美しく心地よいことをいう。

叙位叙勲（じょい じょくん）
位を授けたり、勲等により勲記・勲章を授けたりすること。また、それらを与えられること。

証拠隠滅（しょうこ いんめつ）
事実を証明する根拠となるものをなくすこと。

盛者必衰（じょうしゃ ひっすい）
「盛者」は「しょうじゃ」とも読む。勢いの盛んなものはいつか必ず衰える。この世の無常であることをいう。

情状酌量（じょうじょう しゃくりょう）
刑事裁判の判決で、犯罪に至った事情の同情すべきところを考慮して、刑罰を軽減すること。

小人閑居（しょうじん かんきょ）
「小人閑居して不善をなす」と用いて、つまらぬ人間、器量の小さい人間は、暇があると悪事に走りやすいことをいう。

精進潔斎（しょうじん けっさい）
飲食をつつしみ、身体を清めてけがれを避けること。

小心翼翼（しょうしん よくよく）
本来、「小心」は注意深く心配りをする意、「翼翼」は慎み深くうやうやしい意。転じて、気が小さく、いつもびくびくしているさま。

少壮気鋭（しょうそう きえい）
年が若く意気盛んなこと。

諸行無常（しょぎょう むじょう）
この世のすべては常に移り変わり、生滅を繰り返して、永久に不変のものはないということ。人生は、はかなく無常であるという仏法の大綱「三法印」の一つ。

初志貫徹（しょし かんてつ）
初めに決めたことを、

職権濫用（しょっけん らんよう）
公務員などが職務にかこつけて、実際には職務ではない行為を不当に行うこと。「濫用」は「乱用」とも書く。

支離滅裂（しり めつれつ）
てんでんばらばらで、まとまりがないこと。乱れてつじつまが合わないこと。類語に「四分五裂」「乱雑無章」がある。

深山幽谷（しんざん ゆうこく）
人里を離れた奥深い山や、物の形がはっきりしないほど深い谷。

紳士淑女（しんし しゅくじょ）
品格があって、礼儀正しい男性と女性。

人事不省（じんじ ふせい）
病気やけがなどで意識を失う。こん睡状態におちいる。類語に「前後不覚」がある。

仁者不憂（じんしゃ ふゆう）
仁徳者は常に正しい道を行くので悩むことがないの意で、日ごろの行いがよければ、心がゆったりし、憂えることもないこと。

仁者無敵（じんしゃ むてき）
仁者にはどこにも敵はないということ。「仁者」は恵み深い心のある人。「仁者に敵なし」とも読む。

進取果敢（しんしゅ かかん）
積極的に事を行い、決断力があり、大胆なさま。

神出鬼没（しんしゅつ きぼつ）
すばやく、自由自在に、現れたり隠れたりすること。所在が容易につかめないさま。

心神耗弱（しんしん こうじゃく）
心神喪失より症状は軽いが、精神が衰弱して判断力が乏しい状態。

迅速果断（じんそく かだん）
きわめて速いこと。すばやく大胆に物事を行うくじけることなく最後まで完全に貫いて、志をとげること。類語に「即断即決」「迅速果敢」がある。

身体髪膚（しんたい はっぷ）
身体全体のこと。身体と髪や皮膚を指し、頭の先から足の先までの意。

新陳代謝（しんちん たいしゃ）
古いものと新しいものが入れ替わること。

心頭滅却（しんとう めっきゃく）
心の中の雑念が消え去り、無念・無想の境地に至ること。「心頭を滅却すれば火もまた涼し」の略で、どんな苦難にあっても、それを超越して心頭にとどめなければ、苦しさを感じることはないの意。

深謀遠慮（しんぼう えんりょ）
はるか先のことまで考えて立てた周到な計略。「深謀」は深いはかりごと、「遠慮」は遠く思いはかるの意。

唇亡歯寒（しんぼう しかん）
「唇亡びて歯寒し」とも読む。密接な関係にあるものの一方がくずれると、片方も危険にさらされること。

人面獣心《じんめんじゅうしん》
人間らしい心を持たない人のこと。顔は人間であるが心は獣の意から、冷酷《れいこく》非情な人。

迅雷風烈《じんらいふうれつ》
はげしいかみなりと猛烈な風。類語に「疾風迅雷」がある。

森羅万象《しんらばんしょう》
宇宙空間に存在する、すべての物、すべての現象。「万象」は「ばんぞう」「まんぞう」とも読む。類語に「有象無象《うぞうむぞう》」「一切合切《いっさいがっさい》」がある

す

水清無魚《すいせいむぎょ》
人になつかれないたとえ。澄み切った水に魚はすまない意から、あまり清廉潔白《せいれんけっぱく》で心が正しすぎると、かえって人に親しまれないということ。「水清ければ魚無《うおな》し」ともいう。

酔生夢死《すいせいむし》
酒に酔い、夢心地で自覚もなく一生を過ごす意。何もせずにぼんやりとむだに一生を送ること。類語に「無為徒食」がある。

寸善尺魔《すんぜんしゃくま》
世の中は悪いことが多く、よいことは少ないこと。「寸善」は少しばかりのよいこと。尺は寸の十倍の長さがある。

せ

生生流転《せいせいるてん》
すべてのものは絶えず生じては変化し移り変わっていくこと。「生生」は「しょうじょう」とも読む。

精力絶倫《せいりょくぜつりん》
精力が抜きんでて強いこと。

勢力伯仲《せいりょくはくちゅう》
二つの勢力に優劣がないこと。「伯」は長兄、「仲」は次兄のこと。

清廉潔白《せいれんけっぱく》
心が清く不正をするような後ろめたいところがないさま。類語に「青天白日」「晴雲秋月」がある。

赤手空拳《せきしゅくうけん》
手に何も持たずに立ち向かうこと。また、助けを借りず自分の力だけで物事を行うこと。

責任転嫁《せきにんてんか》
責任を他人になすりつけること。「転嫁」は二度目の嫁入りの意から転じて、ほかに移すこと。

殺生禁断《せっしょうきんだん》
生き物を殺すことを禁ずる仏教の慈悲の教え。「殺生」は仏教でいう十悪の一つ。

刹那主義《せつなしゅぎ》
ただ現在の瞬間が満足できればよいとする考え。

是非曲直《ぜひきょくちょく》
理にかなっていることと外れていること。正しいこととまちがっていること。

千載一遇《せんざいいちぐう》
二度とない絶好のチャンス。千年に一度であえるぐらいのチャンス。

千紫万紅《せんしばんこう》
さまざまな色。色彩豊かで、さまざまな花が咲きほこっていること。

千緒万端《せんしょばんたん》
さまざまなことがら。

戦戦慄慄《せんせんりつりつ》
恐れてふるえる様子のこと。

前代未聞《ぜんだいみもん》
これまで一度も聞いたことのないような珍しい事柄。また、あきれてまともに扱えないこと。

先憂後楽《せんゆうこうらく》
心の中で心配に感じていることを先に解決し、その後で心から楽しめばよいということ。また、その心構え。元は、為政者の心構えについて述べたもの。

千慮一失《せんりょのいっしつ》
知者が、どんなに入念に考えたことでも、一つぐらいは失敗やまちがいがあるということ。対語に「千慮一得」「愚者一得」がある。

善隣友好《ぜんりんゆうこう》
隣国や隣家などに友情を持つこと。外交上、友好関係を結ぶこと。

そ

粗衣粗食《そいそしょく》
粗末な着物と粗末な食事。質素な生活。

即身成仏《そくしんじょうぶつ》
生きたままで仏になること。真言密教の教義。

則天去私《そくてんきょし》
自然の道理に従い、せまく小さな自分を捨てて崇高《すうこう》に生きること。

粗製濫造《そせいらんぞう》
質が悪くて粗末な品をむやみにたくさん作り出すこと。「濫造」は「乱造」とも書く。

率先垂範《そっせんすいはん》
先頭に立って積極的に行動し模範を示すこと。「率先」は先に立って行動する、「垂範」は手本を示す。

た

大喝一声《だいかついっせい》
大きなひと声でしかり付けること。

大願成就《たいがんじょうじゅ》
「大願」は「だいがん」とも読む。大きな願いがとげられること。

大逆無道《たいぎゃくむどう》
人の道から大幅にはずれ、道理を無視した行為。類語に「悪逆無道」「悪逆非道」「極悪非道」がある。

大言壮語《たいげんそうご》
ふさわしくない大きなことを言うこと。また、その言葉。

大巧若拙《たいこうじゃくせつ》
真に巧みなものは、一見すると粗雑に見え、本当に巧みな人は、一見すると稚拙に見えること。

大悟徹底《たいごてってい》
心の迷いを断ち切って真理をさとり、ふっきれた心境になること。

泰山北斗《たいざんほくと》
学術・芸術分野の第一人者。

大慈大悲《だいじだいひ》
限りなく大きい仏の慈悲。

大人虎変《たいじんこへん》
非常に優秀な人が時の流れに従って、日ごとにより素晴らしい変化をとげること。「君子豹変《くんしひょうへん》」ともいう。

泰然自若《たいぜんじじゃく》
気持ちが落ち着いて物事に動揺しないさま。

多岐亡羊《たきぼうよう》
逃げた羊を追いかけながら分かれ道が多いために、とうとう羊を見失ったという故事から、方針が多すぎて選択に迷うたとえ。

多情多恨《たじょうたこん》
物事に感じやすいために、うらみや悲しみも多いこと。

多情仏心《たじょうぶっしん》
多情であることが仏心（慈悲の心）であるということ。気まぐれではあるが、面倒見のよいこと。

談論風発《だんろんふうはつ》
激しく、あるいは活発に話し合うこと。議論が続出するさま。

ち

知者不言《ちしゃふげん》
ものごとをよく知っている者は、その知識を軽々しく語らないこと。「知る者は言わず」とも読む。

知者不惑《ちしゃふわく》
本当にかしこい人は道理をわきまえているので、事にあたって判断に迷うことはないということ。

着眼大局《ちゃくがんたいきょく》
ものごとを全体として大きくとらえること。

忠君愛国《ちゅうくんあいこく》
君主に忠節をつくし、国を愛すること。

忠言逆耳《ちゅうげんぎゃくじ》
忠告は聞きにくいものだが、自分にとって真にためになるものだということ。「忠言は耳に逆らう」とも読む。

忠孝一致《ちゅうこういっち》
忠義と孝行はともに、まっとうすることができること。

中途半端《ちゅうとはんぱ》
物事の進行や状態がきちんとしておらず、どっちつかずの状態であるさま。

長袖善舞《ちょうしゅうぜんぶ》
事前にしっかりと準備をしていれば、物事は成功しやすいということ。

朝成暮毀《ちょうせいぼき》
建物の建築が盛んにおこなわれていること。朝作った物を夜には壊してしまうという意味。

眺望絶佳《ちょうぼうぜっか》
見晴らしが非常にすばらしいこと。

直情径行《ちょくじょうけいこう》
感情のおもむくままに行動に移すこと。「直」も「径」もまっすぐの意。

治乱興亡《ちらんこうぼう》
国が治まることと乱れること、起こることと亡びること。

つ

痛快無比《つうかいむひ》
比べるものがないほどとても愉快なこと。

津津浦浦《つつうらうら》
「津津」は「つづ」とも読む。あらゆる船着き場（津）、あらゆる海岸（浦）の意から転じて、全国いたるところ。

て

適材適所《てきざいてきしょ》
能力に適した人材配置。

徹頭徹尾《てっとうてつび》
始めから終わりまで。類語に「**終始一貫**」「**首尾一貫**」がある。

天衣無縫《てんいむほう》
天人の衣は縫い目が無いことから、技巧などがなく自然なさま。また、人柄に飾り気が無く純真で無邪気なさま。

天涯孤独《てんがいこどく》
親類・縁者などの身寄りが一人もなく、まったく独りぼっちであること。

天下泰平《てんかたいへい》
世の中がよく治まって平和なこと。「泰平」は「太平」とも書く。

伝家宝刀《でんかのほうとう》
その家に家宝として伝わっている名刀。転じて、いよいよというとき以外にはみだりに使用しない、とっておきの物、手段など。

天下無双《てんかむそう》
天下にくらべる者がいないこと。「無双」は世に並ぶ者がいないこと。

天地神明《てんちしんめい》
天地の神々のこと。

と

当意即妙《とういそくみょう》
その場の状況に合わせて即座に機転をきかせること。

党同伐異《とうどうばつい》
「同じきに党《むら》がり、異なるを伐《う》つ」とも読む。善悪や正否に関係なく、同じ党派の者に味方し、他の党派の者を排撃すること。

東奔西走《とうほんせいそう》
あちこち忙しく走り回って尽力すること。

読書百遍《どくしょひゃっぺん》
難解な文章でも繰り返し読めば意味が自然にわかってくるということ。「読書百遍、意《い》自《おのずか》ら通ず」の略。

特筆大書《とくひつたいしょ》
特別に取り上げて目立つように大きくしるすこと。

土豪劣紳《どごうれっしん》
官僚や軍閥と結託して農民を搾取《さくしゅ》する大地主や資産家のこと。

怒髪衝天《どはつしょうてん》
大いに怒り、髪の毛が天を突くほどに逆立っているさま。怒りの激しさを表現する。「怒髪天を衝《つ》く」とも読む。

な

内柔外剛《ないじゅうがいごう》
意志・精神力は弱いが外見はいかにも強そうに見えること。また、そのようにふるまうこと。

内政干渉《ないせいかんしょう》
ある国の政治・外交などについて他国が口出しすること。

内憂外患《ないゆうがいかん》
内部にも外部にも問題が多く心配事が多いこと。

難攻不落《なんこうふらく》
守りが堅くて攻め落としにくい。転じて、相手がなかなかこちらの思い通りにならないこと。

南船北馬《なんせんほくば》
（南は船で、北は馬で）絶えずあちこちに旅行すること。

に

二束三文《にそくさんもん》
値段が非常に安いこと。いくら売ってももうけが出ないほど安い値段で売ること。

如是我聞《にょぜがもん》
経典の初めにある語で、私はこのように聞いたという意。

ね

熱願冷諦《ねつがんれいてい》
熱心に願うことと、冷静によく見ること。

は

廃仏毀釈《はいぶつきしゃく》
仏教寺院や仏像を破壊し、僧侶などの仏教関係者が受けていた特権を廃すること。仏教を排除すること。

薄志弱行《はくしじゃっこう》
意志薄弱で、行動力に乏しい人のこと。積極性がないさま。

白日昇天《はくじつしょうてん》
仙人になること。また、急に富貴《ふうき》になること。いやしい者が急に出世すること。

拍手喝采《はくしゅかっさい》
大いに手をたたき、大声でほめること。「喝采」は、大きな声でほめたたえる意。

白眉最良《はくびさいりょう》
同類や兄弟の中で、最も優れた人物のこと。古代中国の馬氏の五兄弟は皆優秀だったが、中でも眉が白かった馬良が最も優秀であったことから。

薄暮冥冥《はくぼめいめい》
夕暮れ時の薄暗いようす。また、夕暮れ時のように薄暗いさま。

破邪顕正《はじゃけんしょう》
「顕正」は「けんせい」とも読む。不正を打破し、正義を表すこと。

破綻百出《はたんひゃくしゅつ》
いいかげんな言動により次々とぼろが出ること。

抜山蓋世《ばつざんがいせい》
ことのほか威勢がよく、自信に満ちあふれていること。

汎愛兼利《はんあいけんり》
人々全てを分け隔てなく愛し、利益を皆で分けあうこと。

ひ

眉間一尺《びかんいっしゃく》
眉の間が広い賢人の相のこと。

美辞麗句《びじれいく》
美しく飾った言葉。また、うわべだけ飾った、内容に乏しく真実味の無い言葉。

美人薄命《びじんはくめい》
美しい女性は、とかく不運で短命である。類語に「**佳人薄命**」がある。

眉目秀麗《びもくしゅうれい》
目鼻立ちが整っているさま。美しい顔立ち。主に男性に対して用いられる。

百代過客《ひゃくだいのかかく》
永遠に止まることのない旅人。「過客」は旅人。歳月を、過ぎ去って二度と帰らない旅人にたとえた言葉。「過客」は「かきゃく」とも読む。

百花斉放《ひゃっかせいほう》
さまざまな花がいっせいに咲く。転じて、さまざまな学問や芸術が盛んに行われること。

百家争鳴《ひゃっかそうめい》
多くの学者が自由に論争すること。

百鬼夜行《ひゃっきやこう》
得体の知れない人たちがのさばり、勝手に振る舞うこと。「夜行」は「やぎょう」とも読む。

氷消瓦解《ひょうしょうがかい》
氷が溶けてなくなってしまうように、跡形もなくなってしまうこと。物事が次々に崩れていき、ばらばらになってしまうこと。

表裏一体《ひょうりいったい》
一つのものの表と裏を切り離すことができないように、密接な関係にあること。

比翼連理《ひよくれんり》
翼を共有して飛ぶ鳥と、二本の木の枝がくっついて木目が一つにつながった枝。転じて夫婦の愛情の深いこと。

ふ

風流三昧《ふうりゅうざんまい》
自然を友として詩や歌を詠む上品な遊びに熱中すること。

不易流行《ふえきりゅうこう》
松尾芭蕉《ばしょう》が提唱したとされる俳諧《はいかい》の理念。常に変化をしない本質的なもの(不易)を忘れない中にも、一方で新しく変化してやまないもの（流行）をも取りいれていくのが風雅の根幹であるということ。

富国強兵《ふこくきょうへい》
国の経済力を高め、軍事力を増強すること。国を富まし兵を強くする意。

無事息災《ぶじそくさい》
病気や事故などの災難にあわないこと。類語に「**平穏無事**」「**無病息災**」がある。

夫唱婦随《ふしょうふずい》
夫の意見に妻が従うこと。夫婦の仲がとてもよいこと。

腐敗堕落《ふはいだらく》
規律や精神がたるみ乱れて、弊害が多く生ずる状態。

舞文曲筆《ぶぶんきょくひつ》
ことさらに言葉を飾り、事実を曲げて文章を書くこと。

普遍妥当《ふへんだとう》
どんな場合にも真理として承認されること。

不偏不党《ふへんふとう》
どちらにも味方せずに中立を保つこと。類語に「**中立公正**」がある。

不立文字《ふりゅうもんじ》
文字に頼らず、心から心へと伝えること。

粉骨砕身《ふんこつさいしん》
骨身を惜しまず力の限りを尽くすこと。

文人墨客《ぶんじんぼっかく》
「墨客」は「ぼっきゃく」とも読む。詩文、書画にたけ、風雅、風流を求める人。

文武両道《ぶんぶりょうどう》
学問と武芸。また、その両方にすぐれていること。

分崩離析《ぶんぽうりせき》
組織やグループが、ちりぢりになること。国が治まらず、人心が離反し、群雄が争っているさまをいうのに用いる。

奮励努力《ふんれいどりょく》
目標を立てて一心にことに当たること。

へ

弊衣破帽《へいいはぼう》
破れた衣服と穴のあいた帽子。汚らしい格好をしていること。

平沙万里《へいさばんり》
非常に広い砂漠のこと。「平沙」は広く平らである砂原のこと。「万里」ははるか遠くの意味。

変幻自在《へんげんじざい》
出没や変化が自由自在であること、またそのようす。類語に「**千変万化**」「**変幻出没**」がある。

片言隻句《へんげんせきく》
わずかな言葉。ちょっとした短い言葉。類語に「**一言半句**」「**片言隻語**」がある。

ほ

報怨以徳《ほうえんいとく》
怨みに対して、恩徳をもって接して恩恵を与えること。

暴虐非道《ぼうぎゃくひどう》
人の道にそぐわない乱暴で残酷なことをするさま。また、その人。類語に「**極悪非道**」「**残虐非道**」「**暴虐無道**」がある。

傍若無人《ぼうじゃくぶじん》
人前にもかかわらず、勝手気ままに振る舞うこと。

放胆小心《ほうたんしょうしん》
文章の初心者は大胆に筆をふるって思い切って書くのがよく、ある程度熟練してからは細心の注意を払って書くのがよいこと。また、それら二つの文体。

忙中有閑《ぼうちゅうゆうかん》
忙しい時間のうちにもほっと息をつく暇はあるものだということ。

翻雲覆雨《ほんうんふくう》
手のひらを上に向ければ雲、下に向ければ雨となる。人の気持ちは変わりやすいこと。「**雲翻雨《うんぽんう》覆《ふく》**」ともいう。

本末転倒《ほんまつてんとう》
根本の大切なことと、枝葉のつまらないことを取り違えること。

み

三日坊主《みっかぼうず》
飽きっぽく、何を始めても長続きしない人。

妙計奇策《みょうけいきさく》
人の意表をついた奇抜ですぐれたはかりごと。

名詮自性《みょうせんじしょう》
物の名前はその物自体の本性を表すということ。

む

無為自然《むいしぜん》
人の手を何も加えず、自然のままに任せること。

無為徒食《むいとしょく》
なんの仕事もせずに遊び暮らすこと。「無為」は何もしない、「徒食」は働かない。

無為無策《むいむさく》
有効な手だてが何もないまま、何もできずに手をこまねいていること。

無影無踪《むえいむそう》
どこに行ったかわからないこと。行方知れず。

め

冥頑不霊《めいがんふれい》
道理がわからず頑固で思考が鈍いこと。

明鏡止水《めいきょうしすい》
曇りもない鏡や静止した澄んだ水のように、よこしまな心がなく澄みきった心境。

名論卓説《めいろんたくせつ》
格調高い議論ととりわけすぐれた意見。類語に「**高論卓説**」「**高論名説**」がある。

滅私奉公《めっしほうこう》
「めっしぼうこう」とも読む。私心を捨てて公のために尽くすこと。「滅私」は私心を捨てる。「奉公」は国や社会のために力を尽くす。

免許皆伝《めんきょかいでん》
武術や芸道などで、師が弟子に、その道の奥義を残らず伝え、その修了を認めること。

面従腹背《めんじゅうふくはい》
表面では服従のようすを見せていながら、内心では反抗していること。

面目躍如《めんもくやくじょ》
「面目」は「めんぼく」とも読む。その人らしい、名誉や評価にふさわしい活躍をするさま。

も

盲亀浮木《もうきふぼく》
出会うことが非常に難しいこと。とてもまれなこと。めったに起こらないこと。

物見遊山《ものみゆさん》
名所などを見物して遊びまわること。

文殊知恵《もんじゅのちえ》
すぐれたよい知恵。「文殊」は「文殊菩薩《ぼさつ》」の略で、知恵をつかさどる。「三人寄れば文殊の知恵」は、衆知を集めればよい知恵が浮かぶということ。

や

冶金踊躍《やきんようやく》
自らが置かれている立場に満足のいかないこと。

薬石無効《やくせきむこう》
いろいろ治療したが効果がないこと。

夜郎自大《やろうじだい》
凡俗の中にいていばっている世間知らず。身のほど知らず。

ゆ

唯我独尊《ゆいがどくそん》
宇宙の中で自分ほど尊い者はいないという意味。自分は偉いとうぬぼれる、ひとりよがりの意味にも使う。

雄心勃勃《ゆうしんぼつぼつ》
雄々しい勇気が盛んに湧きだしてくるさま。

悠悠閑閑《ゆうゆうかんかん》
ゆったりとしていて、あわてふためかないこと。

悠悠自適《ゆうゆうじてき》
ゆっくりと落ち着いて、心静かに過ごすこと。あくせくせず、気の向くままに生活すること。

油断大敵《ゆだんたいてき》
注意を怠れば必ず失敗を招くから警戒せよという戒め。

よ

用意周到《よういしゅうとう》
用意が十分にととのって抜かりのないこと。「用意」は心づかい、「周到」は手落ちのないこと。

要害堅固《ようがいけんご》
備えのかたいこと。「要害」は地勢が険しく、攻めるのに難しく守るのにたやすい地。

妖怪変化《ようかいへんげ》
人知を超えた理解のできない化け物のこと。

妖言惑衆《ようげんわくしゅう》
あやしげなことを言って多数の人々を惑わせること。

羊質虎皮《ようしつこひ》
外見だけは立派だが中身が伴わないこと。

羊腸小径《ようちょうしょうけい》
羊のはらわたのように曲がりくねった山の小道。

揚眉吐気《ようびとき》
目標を成し遂げて、喜ぶこと。我慢していた思いが解放されて喜ぶこと。

り

理非曲直《りひきょくちょく》
道理にかなっていることとはずれていること。曲がったことと、まっすぐなこと。

竜頭蛇尾《りゅうとうだび》
「竜頭」は「りょうとう」とも読む。竜の頭に蛇の尾。最初は勢いが盛んでありながら終わりは振るわなくなってしまうことのたとえ。

流言飛語《りゅうげんひご》
世の中で言いふらされる根拠もないうわさのこと。

粒粒辛苦《りゅうりゅうしんく》
米を作る農民のつらさの一通りでないこと。転じて、こつこつと努力や苦労をすること。

良風美俗《りょうふうびぞく》
良く美しい風俗習慣。

れ

冷汗三斗《れいかんさんと》
ひどく怖い思いをしたり、人前で恥じ入ったりするさまの形容。冷や汗をたくさんかくこと。類語に「**冷水三斗**」がある。

霊魂不滅《れいこんふめつ》
人間の魂は肉体の死後も存在しているという考え方。

ろ

六十耳順《ろくじゅうじじゅん》
人は六十歳になると、人の言うことが素直に受け入れられるようになるということ。「六十にして耳順《したが》う」とも読む。

六根清浄《ろっこんしょうじょう》
認識の働きをつかさどる六つの器官が清らかになり、心身が清浄な境地にいたること。

炉辺談話《ろへんだんわ》
いろりの端で、くつろいでするよもやま話。

論功行賞《ろんこうこうしょう》
功績を考慮してそれに応じた賞を与えること。「功」は手柄、「賞」はほうび。

わ

和魂漢才《わこんかんさい》
日本固有の精神と中国伝来の学問。また、その二つをそなえ持つこと。「漢才」は漢学の知識。類語に「**和魂洋才**」がある。

和衷協同《わちゅうきょうどう》
「和衷」は心の底からなごむこと。また、心を同じくすること。

〈参考図書〉
「実用四字熟語辞典」
長島猛人 編（成美堂出版）
「四字熟語・成句辞典」
竹田晃 著（講談社）
「漢検・四字熟語辞典・第二版」
（公財）日本漢字能力検定協会 編
（公財）日本漢字能力検定協会

重要な対義語

漢字検定では、お互いに反対の意味を持つ反対語（例　上手・下手）と、意味内容のうえから対応させて一対のものとして使う対応語（例　上級・下級）をあわせて「対義語」と呼んでいます。

このページの対義語の一方を隠し、自分で考える練習をしてみましょう。

軽侮《けいぶ》 ↔ 崇拝《すうはい》
狭量《きょうりょう》 ↔ 寛容《かんよう》
清澄《せいちょう》 ↔ 汚濁《おだく》
多弁《たべん》 ↔ 寡黙《かもく》
低俗《ていぞく》 ↔ 高尚《こうしょう》
拒絶《きょぜつ》 ↔ 応諾《おうだく》
栄誉《えいよ》 ↔ 恥辱《ちじょく》
老巧《ろうこう》 ↔ 稚拙《ちせつ》
褒賞《ほうしょう》 ↔ 懲罰《ちょうばつ》
極端《きょくたん》 ↔ 中庸《ちゅうよう》
設置《せっち》 ↔ 撤去《てっきょ》

淡白《たんぱく》 ↔ 濃厚《のうこう》
存続《そんぞく》 ↔ 廃止《はいし》
特殊《とくしゅ》 ↔ 普遍《ふへん》
悪臭《あくしゅう》 ↔ 芳香《ほうこう》
個別《こべつ》 ↔ 一斉《いっせい》
祝賀《しゅくが》 ↔ 哀悼《あいとう》
過激《かげき》 ↔ 穏健《おんけん》
威圧《いあつ》 ↔ 懐柔《かいじゅう》
繁忙《はんぼう》 ↔ 閑散《かんさん》
隆起《りゅうき》 ↔ 陥没《かんぼつ》
固辞《こじ》 ↔ 快諾《かいだく》

獲得《かくとく》 ↔ 喪失《そうしつ》
禁欲《きんよく》 ↔ 享楽《きょうらく》
反逆《はんぎゃく》 ↔ 恭順《きょうじゅん》
拡散《かくさん》 ↔ 凝縮《ぎょうしゅく》
充実《じゅうじつ》 ↔ 空虚《くうきょ》
尊大《そんだい》 ↔ 謙虚《けんきょ》
激賞《げきしょう》 ↔ 酷評《こくひょう》
潤沢《じゅんたく》 ↔ 枯渇《こかつ》
栄転《えいてん》 ↔ 左遷《させん》
自生《じせい》 ↔ 栽培《さいばい》
蓄積《ちくせき》 ↔ 消耗《しょうもう》
巧妙《こうみょう》 ↔ 拙劣《せつれつ》
豪放《ごうほう》 ↔ 繊細《せんさい》
直進《ちょくしん》 ↔ 蛇行《だこう》
祝辞《しゅくじ》 ↔ 弔辞《ちょうじ》
末端《まったん》 ↔ 中枢《ちゅうすう》
率先《そっせん》 ↔ 追随《ついずい》

粗略《そりゃく》 ↔ 丁寧《ていねい》
進出《しんしゅつ》 ↔ 撤退《てったい》
強硬《きょうこう》 ↔ 軟弱《なんじゃく》
払暁《ふつぎょう》 ↔ 薄暮《はくぼ》
暴露《ばくろ》 ↔ 秘匿《ひとく》
富裕《ふゆう》 ↔ 貧窮《ひんきゅう》
偉大《いだい》 ↔ 凡庸《ぼんよう》
巧遅《こうち》 ↔ 拙速《せっそく》
賢明《けんめい》 ↔ 暗愚《あんぐ》
採用《さいよう》 ↔ 解雇《かいこ》
任命《にんめい》 ↔ 罷免《ひめん》
不足《ふそく》 ↔ 過剰《かじょう》
詳細《しょうさい》 ↔ 概略《がいりゃく》
巨大《きょだい》 ↔ 微細《びさい》
真実《しんじつ》 ↔ 虚偽《きょぎ》
愛護《あいご》 ↔ 虐待《ぎゃくたい》
継続《けいぞく》 ↔ 途絶《とぜつ》

炎暑《えんしょ》 ↔ 酷寒《こっかん》
攻撃《こうげき》 ↔ 防御《ぼうぎょ》
添加《てんか》 ↔ 削除《さくじょ》
圧勝《あっしょう》 ↔ 惨敗《ざんぱい》
辛勝《しんしょう》 ↔ 惜敗《せきはい》
理論《りろん》 ↔ 実践《じっせん》
緩慢《かんまん》 ↔ 迅速《じんそく》
性急《せいきゅう》 ↔ 悠長《ゆうちょう》
抑制《よくせい》 ↔ 促進《そくしん》
決裂《けつれつ》 ↔ 妥結《だけつ》
追放《ついほう》 ↔ 招請《しょうせい》
派遣《はけん》 ↔ 召還《しょうかん》
創造《そうぞう》 ↔ 模倣《もほう》
下落《げらく》 ↔ 騰貴《とうき》
国産《こくさん》 ↔ 舶来《はくらい》
発病《はつびょう》 ↔ 治癒《ちゆ》
総合《そうごう》 ↔ 分析《ぶんせき》

発奮《はっぷん》 ↔ 落胆《らくたん》
定住《ていじゅう》 ↔ 流浪《るろう》
節倹《せっけん》 ↔ 浪費《ろうひ》
献上《けんじょう》 ↔ 下賜《かし》
強壮《きょうそう》 ↔ 虚弱《きょじゃく》
軽快《けいかい》 ↔ 荘重《そうちょう》
欠乏《けつぼう》 ↔ 充足《じゅうそく》
硬直《こうちょく》 ↔ 柔軟《じゅうなん》
弟子《でし》 ↔ 師匠《ししょう》
一見《いっけん》 ↔ 熟視《じゅくし》
汚染《おせん》 ↔ 浄化《じょうか》
純白《じゅんぱく》 ↔ 漆黒《しっこく》
助長《じょちょう》 ↔ 阻害《そがい》
末尾《まつび》 ↔ 冒頭《ぼうとう》

重要な類義語

「類義語」は二つの熟語の意味が互いに類似しているものを言いますが、二つの熟語の意味が全く同じである「同義語」を含めた広い意味で使っています。

対義語・類義語の問題は書き取りの問題でもありますから、正確に書けるようにしておきましょう。

永遠《えいえん》―悠久《ゆうきゅう》
抜粋《ばっすい》―抄録《しょうろく》
無事《ぶじ》―安泰《あんたい》
互角《ごかく》―伯仲《はくちゅう》
頑迷《がんめい》―偏屈《へんくつ》
反逆《はんぎゃく》―謀反《むほん》
沿革《えんかく》―変遷《へんせん》
面倒《めんどう》―厄介《やっかい》
奮戦《ふんせん》―敢闘《かんとう》
来歴《らいれき》―由緒《ゆいしょ》
我慢《がまん》―忍耐《にんたい》

無口《むくち》―寡黙《かもく》
調和《ちょうわ》―均衡《きんこう》
難点《なんてん》―欠陥《けっかん》
荘重《そうちょう》―厳粛《げんしゅく》
心配《しんぱい》―懸念《けねん》
妨害《ぼうがい》―邪魔《じゃま》
功名《こうみょう》―殊勲《しゅくん》
不意《ふい》―唐突《とうとつ》
脅迫《きょうはく》―威嚇《いかく》
残念《ざんねん》―遺憾《いかん》
架空《かくう》―虚構《きょこう》

核心《かくしん》―中枢《ちゅうすう》
頑健《がんけん》―強壮《きょうそう》
心酔《しんすい》―傾倒《けいとう》
降格《こうかく》―左遷《させん》
完遂《かんすい》―成就《じょうじゅ》
歳月《さいげつ》―星霜《せいそう》
交渉《こうしょう》―折衝《せっしょう》
制約《せいやく》―束縛《そくばく》
譲歩《じょうほ》―妥協《だきょう》
回復《かいふく》―治癒《ちゆ》
懐古《かいこ》―追憶《ついおく》
了解《りょうかい》―納得《なっとく》
起源《きげん》―発祥《はっしょう》
解消《かいしょう》―破棄《はき》
解雇《かいこ》―罷免《ひめん》
専念《せんねん》―没頭《ぼっとう》
手当《てあて》―報酬《ほうしゅう》

根絶《こんぜつ》―撲滅《ぼくめつ》
削除《さくじょ》―抹消《まっしょう》
湯船《ゆぶね》―浴槽《よくそう》
失望《しつぼう》―落胆《らくたん》
漂泊《ひょうはく》―流浪《るろう》
汚名《おめい》―醜聞《しゅうぶん》
極意《ごくい》―奥義《おうぎ》
穏健《おんけん》―温厚《おんこう》
承服《しょうふく》―応諾《おうだく》
容赦《ようしゃ》―堪忍《かんにん》
操業《そうぎょう》―稼働《かどう》
強情《ごうじょう》―頑固《がんこ》
省略《しょうりゃく》―割愛《かつあい》
粗筋《あらすじ》―概略《がいりゃく》
干渉《かんしょう》―介入《かいにゅう》
危機《きき》―窮地《きゅうち》
基地《きち》―拠点《きょてん》

動転《どうてん》―仰天《ぎょうてん》
実直《じっちょく》―謹厳《きんげん》
掃討《そうとう》―駆逐《くちく》
明白《めいはく》―顕著《けんちょ》
卓越《たくえつ》―傑出《けっしゅつ》
貧乏《びんぼう》―困窮《こんきゅう》
勘案《かんあん》―考慮《こうりょ》
親密《しんみつ》―懇意《こんい》
大胆《だいたん》―豪放《ごうほう》
昼寝《ひるね》―午睡《ごすい》
計略《けいりゃく》―策謀《さくぼう》
困苦《こんく》―辛酸《しんさん》
所持《しょじ》―携帯《けいたい》
豊富《ほうふ》―潤沢《じゅんたく》
精通《せいつう》―熟知《じゅくち》
死亡《しぼう》―逝去《せいきょ》
尊大《そんだい》―高慢《こうまん》

適切《てきせつ》―妥当《だとう》
克明《こくめい》―丹念《たんねん》
扇動《せんどう》―挑発《ちょうはつ》
調停《ちょうてい》―仲裁《ちゅうさい》
親友《しんゆう》―知己《ちき》
屈指《くっし》―抜群《ばつぐん》
公表《こうひょう》―披露《ひろう》
混乱《こんらん》―紛糾《ふんきゅう》
悪習《あくしゅう》―弊風《へいふう》
連綿《れんめん》―脈脈《みゃくみゃく》
固執《こしつ》―墨守《ぼくしゅ》
座視《ざし》―傍観《ぼうかん》
福音《ふくいん》―朗報《ろうほう》
祝福《しゅくふく》―慶賀《けいが》

重要な熟語の構成

熟語の組み立て方を知っておくと熟語の理解に役立ちます。「熟語の構成」の問題だけでなく、読み問題や書き取り問題に出されている熟語についても構成を考えてみましょう。

ア 同じような意味の漢字を重ねたもの

ポイント　この構成の熟語には次のようなものがあります。

・ものの状態や性質を表すもの
豊富　損害　新鮮など
・動作を表すもの
断絶　建設　救助など
・ものの名前を表すもの
河川　森林　金銭など

宇宙《うちゅう》　枢要《すうよう》

収拾《しゅうしゅう》　散逸《さんいつ》

陥落《かんらく》　媒介《ばいかい》　露顕《ろけん》　更迭《こうてつ》　擬似《ぎじ》　端緒《たんしょ・ちょ》　霊魂《れいこん》　平穏《へいおん》　掲示《けいじ》　駐留《ちゅうりゅう》　中核《ちゅうかく》

凡庸《ぼんよう》　裕福《ゆうふく》　余剰《よじょう》　野蛮《やばん》　喜悦《きえつ》　企画《きかく》　迅速《じんそく》　装着《そうちゃく》　抱擁《ほうよう》　凝固《ぎょうこ》　享受《きょうじゅ》

イ 反対または対応の意味を表す字を重ねたもの

ポイント　構成の種類はアと同様です。

・ものの状態や性質を表すもの
高低　善悪　苦楽など
・動作を表すもの
発着　集散　授受など
・ものの名前を表すもの
表裏　今昔　師弟など

この構成の熟語の、それぞれの字から対義語の関係にある二字熟語を考えてみましょう。たとえば、苦労—快楽、出発—帰着など。

需給《じゅきゅう》　吉凶《きっきょう》　勤怠《きんたい》　衆寡《しゅうか》

真偽《しんぎ》　粗密《そみつ》　繁閑《はんかん》　抑揚《よくよう》

緩急《かんきゅう》　諾否《だくひ》　禍福《かふく》　興廃《こうはい》　慶弔《けいちょう》　賢愚《けんぐ》　幽明《ゆうめい》　尊卑《そんぴ》　経緯《けいい》　功罪《こうざい》　添削《てんさく》

ウ 上の字が下の字を修飾しているもの

ポイント　この構成の熟語には次のようなものがあります。

・上の字が下の名詞性の字を修飾しているもの。
早春　親友　球場など
「どのような、と説明している」と考えると分かりやすくなります。
・上の字が下の動詞性の字を修飾しているもの。
独奏　自動　再会など
「どのように、と説明している」と考えると分かりやすくなります。

いずれにしても、この構成の熟語は上から下へ読むことができます（親しい友・再び会う）

岐路《きろ》　偶数《ぐうすう》　涼風《りょうふう》

誓詞《せいし》　塑像《そぞう》　弔意《ちょうい》

厄年《やくどし》　累計《るいけい》　渓流《けいりゅう》　聴衆《ちょうしゅう》　卓球《たっきゅう》　怪談《かいだん》　双肩《そうけん》　逓減《ていげん》　斉唱《せいしょう》　漸進《ぜんしん》　洗剤《せんざい》

エ　下の字が上の字の目的語・補語になっているもの

ポイント　・目的語＝「何を～する」の「何」に当たる語。
造船＝船を造る。
・補語＝「何に～する」「何へ～する」の「何」に当たる語。
乗車＝車に乗る。
帰国＝国へ帰る。
このように下の字から上の字へ返って読むと意味がよく分かります。

捕鯨《ほげい》　遷都《せんと》　懐古《かいこ》　慰霊《いれい》　惜別《せきべつ》

随時《ずいじ》　遭難《そうなん》　免疫《めんえき》　炊飯《すいはん》　尚武《しょうぶ》

懲悪《ちょうあく》　徹宵《てっしょう》　免罪《めんざい》　飽食《ほうしょく》　襲名《しゅうめい》　宣誓《せんせい》　殉職《じゅんしょく》　匿名《とくめい》　滅菌《めっきん》　享楽《きょうらく》　叙情《じょじょう》

オ　上の字が下の字の意味を打ち消しているもの

ポイント　「不」「無」「未」「非」などの漢字が上について、下の漢字の意味を打ち消しています。

不肖《ふしょう》　無謀《むぼう》　未刊《みかん》　非礼《ひれい》　不穏《ふおん》　無冠《むかん》　未遂《みすい》　非番《ひばん》

不振《ふしん》　無欲《むよく》　未熟《みじゅく》　非凡《ひぼん》　不朽《ふきゅう》　無我《むが》　未到《みとう》　非運《ひうん》

その他の熟語の構成

ポイント　その他の熟語の構成としては次のようなものがあります。
①上の字が主語、下の字が述語になっているもの。
②同じ漢字を重ねたもの
③上に「所」「被」をつけたもの
④下に「性」「然」「化」「的」などの接尾語をつけたもの

①国営《こくえい》　官製《かんせい》　県立《けんりつ》　市営《しえい》　人造《じんぞう》　雷鳴《らいめい》　日没《にちぼつ》

②少少《しょうしょう》　刻刻《こくこく》

続続《ぞくぞく》　淡淡《たんたん》　綿綿《めんめん》

③所感《しょかん》　所属《しょぞく》　所産《しょさん》　所在《しょざい》　被害《ひがい》　被告《ひこく》

被災《ひさい》

④慢性《まんせい》　理性《りせい》　隠然《いんぜん》　突然《とつぜん》　平然《へいぜん》　消化《しょうか》　進化《しんか》　同化《どうか》　病的《びょうてき》　動的《どうてき》

重要な誤字訂正

実際の試験問題は字数が多いので、気をつけて見逃しのないようにしましょう。

同音でしかも字の形が似ている同音類字には特に注意が必要です（観・歓・勧、倍・培・陪・賠、など）。

家族同般で欧州旅行を楽しむ。（×般→○伴）

患部に薬品を吐布する。（×吐→○塗）

国境憤争が絶えない。（×憤→○紛）

新しい紙弊が発行された。（×弊→○幣）

音叫効果のよいホールだ。（×叫→○響）

選挙違反を敵発する。（×敵→○摘）

本を読んで感命を受けた。（×命→○銘）

黙否権を行使する。（×否→○秘）

ついに全国制把を成し遂げた。（×把→○覇）

前言を徹回する。（×徹→○撤）

地方経済は停怠している。（×怠→○滞）

ハウスでいちごを採培している。（×採→○栽）

さんまの漁穫量日本一の港だ。（×穫→○獲）

庭の花段の手入れをする。（×段→○壇）

線細な技法を凝らした名品だ。（×線→○繊）

人権意識が侵透している。（×侵→○浸）

新開発エンジンを登載する。（×登→○搭）

市町村合柄が盛んに行われた。（×柄→○併）

校舎が老旧化している。（×旧→○朽）

銀行の誘資を受ける。（×誘→○融）

森林抜採計画を立てる。（×抜→○伐）

当底助かる望みはない。（×当→○到）

規何学模様のセーターを買う。（×規→○幾）

閲欄室では静かにしよう。（×欄→○覧）

船が暗傷に乗り上げた。（×傷→○礁）

基祖的な学力が足りない。（×祖→○礎）

守備陣地を構蓄する。（×蓄→○築）

答案を点削してもらう。（×点→○添）
重要事綱をメモに取る。（×綱→○項）
豪華な結婚被露宴だった。（×被→○披）
社長自ら交衝に当たる。（×衝→○渉）
父は単身で扶任した。（×扶→○赴）
伝統文化を携承する。（×携→○継）
油絵教室を主済する。（×済→○宰）
社員を弱干名募集する。（×弱→○若）
両親と子供一人の格家族だ。（×格→○核）
留学生との交感会を開く。（×感→○歓）

凍結道路を叙行運転する。（×叙→○徐）
音楽界の重珍とされる人物だ。（×珍→○鎮）
デザインを衣匠登録する。（×衣→○意）
業者と役人が愉着している。（×愉→○癒）
彼とは長年魂意にしている。（×魂→○懇）
世界新記録に跳戦する。（×跳→○挑）
経済不凶が生活を脅かす。（×凶→○況）
産業敗棄物の処理が問題だ。（×敗→○廃）
事故の原因を分跡する。（×跡→○析）
連価販売の家電品を買った。（×連→○廉）

記録に残しておくことが貫要だ。（×貫→○肝）
危餓に苦しむ子供たちを救おう。（×危→○飢）
何も言えない奮囲気だった。（×奮→○雰）
世界の平和に功献する。（×功→○貢）
国際空港に検益所を設ける。（×益→○疫）
問題解決に難縦している。（×縦→○渋）
お茶の葉を詰み取る。（×詰→○摘）
手伝いに刈り出される。（×刈→○駆）
この冬は事に寒い。（×事→○殊）
笑う角には福来たる。（×角→○門）

本書記載の情報は制作時点のものです。受検をお考えの方は、必ずご自身で下記の公益財団法人 日本漢字能力検定協会の発表する最新情報をご確認ください。

公益財団法人 日本漢字能力検定協会
【ホームページ】 https://www.kanken.or.jp/
＜本部＞ 京都市東山区祇園町南側 551 番地
ホームページにある「よくある質問」を読んで該当する質問がみつからなければメールフォームでお問合せください。電話でのお問合せ窓口は 0120－509－315（無料）です。

◆「漢検」「漢字検定」は公益財団法人 日本漢字能力検定協会の登録商標です。

本書に関する正誤等の最新情報は、下記のアドレスでご確認ください。
https://www.seibidoshuppan.co.jp/info/honshi-kanken2-2411

◉ 上記アドレスに掲載されていない箇所で、正誤についてお気づきの場合は、書名・質問事項・氏名・住所（または FAX 番号）を明記の上、成美堂出版まで郵送または FAX でお問い合わせください。**お電話でのお問い合わせはお受けできません。**
◉ 本書の内容を超える質問等にはお答えできませんので、あらかじめご了承ください。また、受検指導などは行っておりません。
◉ ご質問の到着確認後10日前後で、回答を普通郵便またはFAXで発送いたします。
◉ ご質問の受付期限は、2025年10月末日到着分までといたします。ご了承ください。

よくあるお問い合わせ

Q 持っている辞書に掲載されている部首と、本書に掲載されている部首が違いますが、どちらが正解でしょうか？

A 辞書によっては、部首としているものが異なることがあります。**漢検の採点基準では、「漢検要覧 2～10 級対応 改訂版」（日本漢字能力検定協会発行）で示しているものを正解としています**ので、本書もこの基準に従っています。そのためお持ちの辞書と部首が異なることがあります。

本試験型 漢字検定2級試験問題集 '25年版

2024年12月1日発行

編 著 成美堂出版編集部
発行者 深見公子
発行所 成美堂出版
〒162-8445 東京都新宿区新小川町1-7
電話(03)5206-8151 FAX(03)5206-8159
印 刷 大盛印刷株式会社

ISBN978-4-415-23908-8
落丁･乱丁などの不良本はお取り替えします
定価はカバーに表示してあります

2級

本試験型

漢字検定
試験問題集

'25年版

解答・解説

●常用漢字表にない漢字や読みは不正解にな
ます。
●解答の照合は、漢字の点の有無まで注意し
厳密に行いましょう。
●解答が複数ある場合は、そのうちの一つを
いてあれば正解です。複数の答えを書いた
合は、それらが全部合っていないと正解に
りません。
●踊り字（々）は、正しく使われていれば正解で

◀ 矢印方向に引くと別冊の解答・解説が外れます。

成美堂出

第1回テスト 解答・解説

問題は本冊P18~23

（一）読み

グレーの部分は解答の補足です

各1点 計30点

1 しっそう
2 ごりやく
3 くおん
4 かんおう
5 おういん
6 ありゅうさん
7 せいか
8 ゆうかい
9 はくだつ
10 かもく
11 いつざい
12 えっけん
13 せんか
14 しょうがい
15 ろうおう
16 こんいん
17 だんがい
18 あいさつ
19 うつびょう
20 がんくつ
21 あたい
22 あいぞ（め）
23 ひとがき
24 おそれ
25 かぐら
26 よ（って）
27 あらし
28 ば（え）
29 かわら
30 ほかげ

4「観桜《かんおう》」は、桜の花を観賞すること。花見。
12「謁見《えっけん》」は、身分の高い人や目上の人に面会する。
13「戦禍《せんか》」は、戦争による災難。
17「弾劾《だんがい》」は、罪悪を調べて責任を追及する。
21「価」は「値」とも書く。
25「神楽《かぐら》」は、神様をまつるための歌や踊り。

（二）部首

グレーの部分は部首の名前です

各1点 計10点

1 𠆢（ひとやね）
2 夕（たゆうべ）
3 缶（ほとぎ）
4 冖（わかんむり）
5 木（き）
6 口（くち）
7 勹（つつみがまえ）
8 斉（せい）
9 糸（いと）
10 黒（くろ）

（三）熟語の構成

各2点 計20点

1 エ
2 ウ
3 ア
4 エ
5 イ
6 オ
7 ウ
8 ア
9 イ
10 ウ

合掌《がっしょう》 合（わせる）↑掌（てのひらを）
環礁《かんしょう》 環（状の）↓礁（さんご礁）
僅少《きんしょう》 どちらも「わずかである」の意。
遮光《しゃこう》 遮（る）↑光（を）
昇降《しょうこう》 昇（る）↕降（りる）
未詳《みしょう》 未（いま）だ詳（つまび）らかでない。
互譲《ごじょう》 互（いに）↓譲（る）
清浄《せいじょう》 どちらも「きよらかな」の意。
伸縮《しんしゅく》 伸（びる）↕縮（む）
媒体《ばいたい》 媒（なかだちする、伝達する）↓体（もの、手段）

（四）四字熟語

グレーの部分は解答の補足です

問1 各2点／計20点

1 肝胆《かんたん》（相照《そうしょう》）
2 （森羅《しんら》）万象《ばんしょう》
3 四分《しぶん》（五裂《ごれつ》）
4 （冶金《やきん》）踊躍《ようやく》
5 向天《こうてん》（吐唾《とだ》）
6 （花鳥《かちょう》）風月《ふうげつ》
7 安寧《あんねい》（秩序《ちつじょ》）
8 （疾風《しっぷう》）迅雷《じんらい》
9 夜郎《やろう》（自大《じだい》）
10 （泰然《たいぜん》）自若《じじゃく》

1 お互い心の奥底まで理解しあって親しくつき合うこと。
2 宇宙に存在する、すべての物や事象。
3 まとまっていたものが、ばらばらになること。
4 自らが置かれている立場に満足のいかないこと。
5 他人を害そうとすれば自分に返ってくること。天に向かって唾を吐くともいう。
6 自然の美しい風景。
7 社会や国家の状態が平穏であること。
8 行動が非常に素早く激しいこと。事態が急変すること。
9 自分の実力も知らずにいばっている者のたとえ。
10 落ち着いて動じないこと。

問2 各2点／計10点

11 カ
12 ケ
13 コ
14 イ
15 キ

(五) 対義語・類義語

各2点 計20点

グレーの部分は問題の熟語です

1 主役《しゅやく》⇔脇役《わきやく》
2 設置《せっち》⇔撤去《てっきょ》
3 下落《げらく》⇔騰貴《とうき》
4 潤沢《じゅんたく》⇔枯渇《こかつ》
5 答申《とうしん》⇔諮問《しもん》
6 余分《よぶん》＝余剰《よじょう》
7 功名《こうみょう》＝殊勲《しゅくん》
8 屋敷《やしき》＝邸宅《ていたく》
9 清澄《せいちょう》＝透徹《とうてつ》
10 察知《さっち》＝洞察《どうさつ》

3「騰貴《とうき》」は、物の値段や、株や為替などの相場が上がること。

(六) 同音・同訓異字

各2点 計20点

1 放棄《ほうき》
2 蜂起《ほうき》
3 享受《きょうじゅ》
4 教授《きょうじゅ》
5 擬声《ぎせい》
6 犠牲《ぎせい》
7 強制《きょうせい》
8 矯正《きょうせい》
9 琴《こと》
10 事《こと》

5「擬声語《ぎせいご》」は、動物の声や物の音などをまねてあらわす語。

(七) 誤字訂正

各2点 計10点

グレーの部分は誤字・正字を含む熟語です

〔誤〕→〔正〕

1 必受品 → 必需品
2 閑素 → 簡素
3 備妙 → 微妙
4 助才 → 如才
5 事 → 殊

(八) 漢字と送りがな

各2点 計10点

1 紛《まぎ》らわす
2 奉《たてまつ》る
3 拭《ぬぐ》っ
4 羨《うらや》ましい
5 覆《くつがえ》す

(九) 書き取り

各2点 計50点

グレーの部分は解答の補足です

1 寛容《かんよう》
2 飢餓《きが》
3 細菌《さいきん》
4 転嫁《てんか》
5 昔日《せきじつ》
6 駐輪《ちゅうりん》
7 妥結《だけつ》
8 洗濯《せんたく》
9 音痴《おんち》
10 安泰《あんたい》
11 曖昧《あいまい》
12 畏敬《いけい》
13 頂戴《ちょうだい》
14 超《こ》（えて）
15 滞《とどこお》（り）
16 鍛《きた》（える）
17 漬《づ》（け）
18 坪《つぼ》
19 眺《なが》（め）
20 弾《はず》（ませて）
21 戯《たわむ》（れて）
22 萎《な》（えた）
23 蜜《みつ》
24 偽《いつわ》（り）
25 怠《なま》（け）

2「飢餓《きが》」は、長期間にわたって十分に栄養を取ることができないため、生存や生活が困難である状態のこと。

5「昔日《せきじつ》」は、以前のこと。昔の日々。むかし。

7「妥結《だけつ》」は、利害の対立する者が妥協しあって話をまとめること。

23「口《くち》に蜜《みつ》あり、腹《はら》に剣《けん》あり」は、口では優しそうなことをいうが、心の中は陰険であること。

24「看板に偽《いつわ》りなし」は、外見と中身が一致していること。

25「怠《なま》け者《もの》の節句《せっく》働《ばたら》き」は、休日にわざと忙しそうに働く者をあざけって用いることわざ。なお「節句」は「節供」とも書く。

(一) 読み

グレーの部分は解答の補足です

各1点 計30点

1 べんぎ
2 じゅんしょく
3 おしょう
4 つうぎょう
5 ふしょう
6 きょうしゅう
7 だくい
8 にそう
9 ふしん
10 ほうしょう
11 ふせ
12 ちょくめい
13 くちくかん
14 だいおんじょう
15 ゆうぜい
16 えこう
17 せんぼう
18 ひきん
19 たいこ
20 ふほう
21 つちか(う)
22 せ(り)
23 まつりごと
24 よせ
25 おれ
26 くらやみ
27 はんそで
28 めじり
29 すそ
30 かき

1「便宜《べんぎ》」は、都合のよいこと。よい機会のこと。

4「通暁《つうぎょう》」は、夜を通じて朝に至ること。徹夜。ある物事について非常に詳しく知っていること。

14・16「大音声《だいおんじょう》」「回向《えこう》」は特別な読み方。

24「寄席《よせ》」は、熟字訓。

(二) 部首

グレーの部分は部首の名前です

各1点 計10点

1 又（また）
2 爫（つめかんむり つめがしら）
3 广（まだれ）
4 止（とめる）
5 儿（ひとあし にんにょう）
6 聿（ふでづくり）
7 衣（ころも）
8 歹（かばねへん いちたへん がつへん）
9 門（もんがまえ）
10 自（みずから）

(三) 熟語の構成

各2点 計20点

1 イ
2 エ
3 ア
4 エ
5 オ
6 ウ
7 ア
8 ウ
9 イ
10 ア

巧拙《こうせつ》 巧(み)⬍拙(い)
叙勲《じょくん》 叙(授ける)⬆勲(等を)
睡眠《すいみん》 どちらも「ねむる」の意。
赴任《ふにん》 赴(く)⬆任(地に)
無難《ぶなん》 難が無い。
硝煙《しょうえん》 硝(火薬の爆発による)⬇煙
封鎖《ふうさ》 どちらも「とざす」の意。
伏兵《ふくへい》 伏(隠れている)⬇兵
盛衰《せいすい》 盛(ん)⬍衰(え)
窃盗《せっとう》 どちらも「ぬすむ」の意。

(四) 四字熟語

グレーの部分は解答の補足です

問1 各2点／計20点

1 屋上《おくじょう》（架《か》屋《おく》）
2 （内《ない》憂《ゆう》）外患《がいかん》
3 一朝《いっちょう》（一《いっ》夕《せき》）
4 （妖《よう》怪《かい》）変化《へんげ》
5 賢明《けんめい》（愚《ぐ》昧《まい》）
6 （不《ふ》易《えき》）流行《りゅうこう》
7 意《い》馬《ば》（心《しん》猿《えん》）
8 （無《む》為《い》）徒《と》食《しょく》
9 叙《じょ》位《い》（叙《じょ》勲《くん》）
10 （緩《かん》急《きゅう》）自《じ》在《ざい》

1 無駄なことを繰り返すこと。「屋《おく》下架屋《かかおく》」ともいう。
2 国内の心配事と、外国との間に生じる問題。内外ともに不安が多いこと。
3 ひと朝とひと晩の意から、非常にわずかな期間、短い時間のたとえ。
4 人間には想像もつかない不思議な化け物のこと。
5 賢くて物事の道理に明るいことと、愚かで物事の道理にくらいこと。
6 いつまでも変わらない本質を忘れずにいつつ、新しい変化も取り入れていくこと。
7 煩悩や欲情がどうにも抑えられないこと。
8 （無為〈むい〉）徒食〈としょく〉
何もせずに遊び暮らすこと。
9 国家などに対し功労のあった人物に位や勲章などを授けること。
10 速度などを思うままに調節すること。物事を自由自在に操ること。

問2 各2点／計10点

11 ア
12 コ
13 キ
14 イ
15 カ

問題は本冊 P24~29

(五) 対義語・類義語

各2点 計20点

グレーの部分は問題の熟語です

1 硬球《こうきゅう》⇔軟球《なんきゅう》
2 存続《そんぞく》⇔廃止《はいし》
3 尊大《そんだい》⇔謙虚《けんきょ》
4 任命《にんめい》⇔罷免《ひめん》
5 威圧《いあつ》⇔懐柔《かいじゅう》

6 懇親《こんしん》＝親睦《しんぼく》
7 太平《たいへい》＝安寧《あんねい》
8 抄録《しょうろく》＝抜粋《ばっすい》
9 勝者《しょうしゃ》＝覇者《はしゃ》
10 受胎《じゅたい》＝妊娠《にんしん》

4「罷免《ひめん》」は、職務をやめさせる。

10「受胎《じゅたい》」は、子をやどすこと。

(六) 同音・同訓異字

各2点 計20点

グレーの部分は解答の補足です

1 憲法《けんぽう》
2 拳法《けんぽう》
3 首肯《しゅこう》
4 趣向《しゅこう》
5 繊細《せんさい》
6 戦災《せんさい》

7 顕彰《けんしょう》（賞《しょう》）
8 懸賞《けんしょう》
9 効《き》（く）
10 利《き》（き）

3「首肯《しゅこう》」は、うなずく。承知する。

(七) 誤字訂正

各2点 計10点

グレーの部分は誤字・正字を含む熟語です

	〔誤〕		〔正〕
1	接殖	→	接触
2	畳漫	→	冗漫
3	賢著	→	顕著
4	壌与	→	譲与
5	過乗	→	過剰

(八) 漢字と送りがな

各2点 計10点

1 傍《かたわ》ら
2 翻《ひるがえ》る
3 綻《ほころ》びる
4 渋《しぶ》い
5 免《まぬか》れる

(九) 書き取り

各2点 計50点

グレーの部分は解答の補足です

1 法廷《ほうてい》
2 威嚇《いかく》
3 会釈《えしゃく》
4 比較《ひかく》
5 土壇場《どたんば》
6 連載《れんさい》
7 封筒《ふうとう》
8 狭心症《きょうしんしょう》
9 亜流《ありゅう》

10 真珠《しんじゅ》
11 軸《じく》
12 扱《あつか》（い）
13 傾《かたむ》（いた）
14 塗《ぬ》（る）
15 帆柱《ほばしら》
16 端数《はすう》
17 懐《なつ》（いて）
18 潔《いさぎよ》（く）

19 嵐《あらし》
20 滴《したた》（って）
21 亀《かめ》
22 頬《ほお》（頰《ほお》）張《ば》（った）
23 眉《まゆ》
24 甲羅《こうら》
25 逸《いっ》（す）

5「土壇場《どたんば》」は、物事が決する最後の瞬間のこと。また、斬首刑が行われる刑場のこと。

8「狭心症《きょうしんしょう》」は、冠動脈の血流が悪くなり、胸部の痛みなどを起こす病気。

9「亜流《ありゅう》」は、一流のものをまねているが、元の一流のものにはおよばないこと。またその人。

15「帆柱《ほばしら》」は、帆船の帆を張るための柱。マストのこと。


23「眉《まゆ》に唾《つば》をつける」は、だまされないように用心することのたとえ。

24「カニは甲羅《こうら》に似《に》せて穴《あな》を掘《ほ》る」は、カニは自分の甲羅の大きさと同じ穴を掘るところから、自分の実力や身分に見合った言動をしたり望みをもったりすること。

25「大魚《たいぎょ》を逸《いっ》す」は、大きな手柄を立てそこなうこと。

問題は本冊 P30~35

(一) 読み

各1点 計30点

グレーの部分は解答の補足です

1 きょうきん
2 ひよく
3 さいかい
4 しょうれい
5 きえ
6 しはい
7 いんじゅん
8 こうしょう
9 いはつ
10 そうでん
11 ききょう
12 せっちゅう
13 ゆかた
14 たいへい
15 しゅうちしん

16 るふ
17 ぐんじょう
18 そげきしゅ
19 そじょう
20 ふそん
21 みことのり
22 かんば(し)
23 そうろう
24 さじき
25 なだれ
26 わずら(って)
27 かも(す)
28 ふ(ける)
29 な(えて)
30 ほころ(びて)

9「衣鉢《いはつ》」は、師から弟子に伝える(仏道の)奥義。

10「滄海変《そうかいへん》じて桑田《そうでん》となる」は、世の中が大きく変わることのたとえ。青い大海原が桑畑になってしまったという意味。

11「奇矯《ききょう》」は、言動が普通の人と著しく異なっていること。

(二) 部首

各1点 計10点

グレーの部分は部首の名前です

1 大(だい)
2 土(つち)
3 衤(ころもへん)
4 丶(てん)
5 禾(のぎへん)
6 玄(げん)
7 ⺌(しょう)
8 曰(ひらび いわく)
9 十(じゅう)
10 又(また)

(三) 熟語の構成

各2点 計20点

1 エ
2 ウ
3 ア
4 エ
5 イ
6 オ
7 イ
8 ア
9 エ
10 ウ

参禅《さんぜん》 参(じる)↑禅(に)。「座禅する」の意。
釣果《ちょうか》 釣(りの)↓果(成果)
咽喉《いんこう》 どちらも「のど」の意。
上棟《じょうとう》 上(げる)↑棟(木を)
葬祭《そうさい》 葬(る)↕祭(る)
無精《ぶしょう》 精(念入りに手を加える)が無い。
愛憎《あいぞう》 愛↕憎(しみ)
遭遇《そうぐう》 どちらも「思いがけず出くわす」の意。
検疫《けんえき》 検(査する)↑疫(病を)
歌仙《かせん》 歌(の)↓仙(非凡な才を持つ人)

(四) 四字熟語

グレーの部分は解答の補足です

問1 各2点/計20点

1 高論《こうろん》(卓《たく》説《せつ》)
2 (閑《かん》話《わ》)休題《きゅうだい》
3 多《た》情《じょう》(多《た》恨《こん》)
4 (一《いっ》騎《き》)当《とう》千《せん》
5 赤手《せきしゅ》(空《くう》拳《けん》)
6 (開《かい》眼《げん》)供《く》養《よう》
7 衆人《しゅうじん》(環《かん》視《し》)
8 (遺《い》憾《かん》)千万《せんばん》
9 高歌《こうか》(放《ほう》吟《ぎん》)
10 (報《ほう》怨《えん》)以《い》徳《とく》

1 非常に優れた意見や議論。
2 「それはさておき」と文章を本筋に戻す言葉。
3 感受性が豊かなため、恨みや悔い、悲しいと思うようなことが多いこと。
4 人並みはずれた能力のこと。「当千」は「とうぜん」とも読む。
5 助けなどは借りずに自分だけで物事を行うこと。
6 新しく作った仏像や仏画を供養し、最後に目を入れて魂を迎え入れること。
7 多くの人がまわりを取り囲むようにして見ていること。
8 非常に残念であること。
9 あたりかまわず大声で歌うこと。
10 怨《うら》みに対して、恩徳をもって接して恩恵を与えること。

問2 各2点/計10点

11 ク
12 カ
13 イ
14 エ
15 ウ

(五) 対義語・類義語

各2点 計20点

グレーの部分は問題の熟語です

1 一部《いちぶ》⇔全貌《ぜんぼう》
2 分割《ぶんかつ》⇔併合《へいごう》
3 巧妙《こうみょう》⇔稚拙《ちせつ》
4 詳細《しょうさい》⇔概要《がいよう》
5 細心《さいしん》⇔放胆《ほうたん》
6 続出《ぞくしゅつ》＝頻発《ひんぱつ》
7 激怒《げきど》＝憤慨《ふんがい》
8 悪風《あくふう》＝弊習《へいしゅう》
9 対価《たいか》＝報酬《ほうしゅう》
10 表彰《ひょうしょう》＝褒賞《ほうしょう》

8「弊習《へいしゅう》」は、よくない習慣や悪いならわしのこと。

(六) 同音・同訓異字

各2点 計20点

グレーの部分は解答の補足です

1 拘束《こうそく》
2 梗塞《こうそく》
3 詐称《さしょう》
4 査証《さしょう》
5 傘下《さんか》
6 産科《さんか》
7 湿気《しっき》
8 漆器《しっき》
9 組《く》(み)
10 酌《く》(み)

3「詐称《さしょう》」は、いつわっていうこと。

7「湿気《しっき》」は、「しっけ」とも読む。

(七) 誤字訂正

各2点 計10点

グレーの部分は誤字・正字を含む熟語です

〔誤〕→〔正〕
1 深重→慎重
2 安普振→安普請
3 不髄→不随
4 接取→摂取
5 歯こぼれ→刃こぼれ

(八) 漢字と送りがな

各2点 計10点

1 朗《ほが》らか
2 賄《まかな》う
3 麗《うるわ》しい
4 貪《むさぼ》る
5 脅《おびや》かす

(九) 書き取り

各2点 計50点

グレーの部分は解答の補足です

1 血栓《けっせん》
2 万華鏡《まんげきょう》
3 疾走《しっそう》
4 言質《げんち》
5 由緒《ゆいしょ》
6 干渉《かんしょう》
7 果汁《かじゅう》
8 凹凸《おうとつ》
9 恭賀《きょうが》
10 婚姻《こんいん》
11 格子《こうし》
12 楷書《かいしょ》
13 溝《みぞ》
14 惨《みじ》(め)
15 植木鉢《うえきばち》
16 暁《あかつき》
17 染《し》(み)
18 渦巻《うずま》(き)
19 慰《なぐさ》(める)
20 顎《あご》
21 釜飯《かまめし》
22 罵《ののし》(る)
23 魔《ま》
24 与《あた》(えず)
25 魂《たましい》

1「血栓《けっせん》」は、血液が血管内で固まってしまい塞いでしまうこと。

4「言質《げんち》を取《と》る」は、証拠となる言葉を押さえること。

9「恭賀《きょうが》」は、かしこまって祝うこと。

12「楷書《かいしょ》」は、漢字の書体の一つで、字を崩さない書き方のこと。

16「暁《あかつき》」は、明け方のこと。夜明け。


23「好事魔多《こうじまおお》し」は、良いことには邪魔が入りやすいということ。

24「天《てん》は二物《にぶつ》を与《あた》えず」は、天は一人の人間にたくさんの長所や才能を与えたりはしないということ。

25「仏作《ほとけつく》って魂《たましい》入れず」は、苦労して作り上げたものの肝心な点を欠いていることのたとえ。

問題は本冊 P36~41

（一）読み

各1点 計30点

グレーの部分は解答の補足です

1 やくびょうがみ
2 しゅうぶん
3 べんしょう
4 きんしん
5 ひめん
6 ろてい
7 ぼんのう
8 ようぎょう
9 さくいん
10 せんぷう
11 じょうちょ じょうしょ
12 せいそう
13 げねつ
14 そうさい
15 だじょうかん だいじょうかん
16 とうはん とはん
17 くんぷう
18 しんぼく
19 しんちょく
20 むとんちゃく
21 さえぎ（る）
22 きずあと
23 かな（でる）
24 やおちょう
25 しろうと
26 はずかし（め）
27 つめ
28 つる
29 いきどお（る）
30 むさぼ（る）

1 「疫病」は「えきびょう」と読むが、「疫病神」は「やくびょうがみ」と読むので注意。
8 「窯業《ようぎょう》」は、窯を使って粘土などを高熱で処理して、ガラスや陶磁器などを製造する工業のこと。
12 「星霜《せいそう》」は、歳月やとしつきのこと。
20 「頓着《とんちゃく》」は、こだわること、執着すること。

（二）部首

各1点 計10点

グレーの部分は部首の名前です

1 斉（せい）
2 刀（かたな）
3 穴（あなかんむり）
4 子（こ）
5 甘（かん あまい）
6 行（ぎょうがまえ ゆきがまえ）
7 田（た）
8 勹（つつみがまえ）
9 血（ち）
10 巾（はば）

（三）熟語の構成

各2点 計20点

1 エ
2 イ
3 ウ
4 ア
5 ア
6 エ
7 オ
8 ア
9 イ
10 エ

還元《かんげん》 還（かえす）⬆元（に）
与奪《よだつ》 与（える）⬍奪（う）
弔辞《ちょうじ》 弔（う）⬇辞（ことば）
安泰《あんたい》 どちらも「やすらか」の意。
苛烈《かれつ》 どちらも「きびしい」の意。
納涼《のうりょう》 納（める）⬆涼（しさを）
非運《ひうん》 運（幸運）に非（あら）ず。
怠惰《たいだ》 どちらも「なまける」の意。
浮沈《ふちん》 浮（く）⬍沈（む）
挑戦《ちょうせん》 挑（む）⬆戦（いを）

（四）四字熟語

グレーの部分は解答の補足です

問1 各2点／計20点

1 恐恐《きょうきょう》（謹言《きんげん》）
2 （錦上《きんじょう》）添花《てんか》
3 山河《さんが》（襟帯《きんたい》）
4 （自業《じごう》）自得《じとく》
5 痛快《つうかい》（無比《むひ》）
6 （虎頭《ことう》）蛇尾《だび》
7 鶏口《けいこう》（牛後《ぎゅうご》）
8 （鯨飲《げいいん》）馬食《ばしょく》
9 風流《ふうりゅう》（三昧《ざんまい》）
10 （表裏《ひょうり》）一体《いったい》

1 恐れながら謹んで申し上げるの意味。手紙文の結びに使う。
2 ただでさえ美しいものに対し、さらに美しいものを加えること。
3 自然の要害が堅固であることのたとえ。
4 自分が行った悪事のむくいを自分で受けること。
5 比べるものがないほどとても愉快なこと。
6 始めは勢いがよいが、終わりは勢いがなくなること。
7 大きな組織の末端よりも、小さな組織で上の立場に立つほうがよいということ。
8 鯨が水を飲み馬が草を食べるように、大量の酒や食べ物を飲み食いする意。
9 自然を友として詩や歌を詠む上品な遊びに熱中すること。
10 一つのものの表と裏を切り離せないように、密接な関係にあること。

問2 各2点／計10点

11 ウ
12 ク
13 エ
14 オ
15 キ

(五) 対義語・類義語

各2点 計20点

グレーの部分は問題の熟語です

1 緩流《かんりゅう》⇔奔流《ほんりゅう》
2 懐疑《かいぎ》⇔盲信《もうしん》 妄信《もうしん》
3 蓄積《ちくせき》⇔消耗《しょうもう》
4 固辞《こじ》⇔快諾《かいだく》
5 不快《ふかい》⇔爽快《そうかい》

6 根絶《こんぜつ》＝撲滅《ぼくめつ》
7 紛争《ふんそう》＝摩擦《まさつ》
8 公正《こうせい》＝中庸《ちゅうよう》
9 永遠《えいえん》＝悠久《ゆうきゅう》
10 純真《じゅんしん》＝素朴《そぼく》

8「中庸《ちゅうよう》」は、どちらにも片寄らず中正なこと。

(六) 同音・同訓異字

各2点 計20点

1 郵送《ゆうそう》
2 勇壮《ゆうそう》
3 清浄《せいじょう》
4 星条《せいじょう》
5 応酬《おうしゅう》
6 欧州《おうしゅう》

7 銃弾《じゅうだん》
8 縦断《じゅうだん》
9 緒《お》
10 尾《お》

6「欧州《おうしゅう》」は、ヨーロッパのこと。

(七) 誤字訂正

各2点 計10点

グレーの部分は誤字・正字を含む熟語です

	〔誤〕		〔正〕
1	洗風機	↓	扇風機
2	速成	↓	促成
3	租製	↓	粗製
4	祖石	↓	礎石
5	捜失	↓	喪失

(八) 漢字と送りがな

各2点 計10点

1 慰《なぐさ》める
2 悔《く》やみ
3 穏《おだ》やか
4 懐《なつ》かしい
5 剥《は》(剝《は》)がれる

(九) 書き取り

各2点 計50点

グレーの部分は解答の補足です

1 診察《しんさつ》
2 仙人《せんにん》
3 哺乳類《ほにゅうるい》
4 駄菓子《だがし》
5 砂漠《さばく》 沙漠《さばく》
6 倒産《とうさん》
7 軟式《なんしき》
8 化粧《けしょう》
9 洪水《こうずい》

10 模擬《もぎ》
11 給仕《きゅうじ》
12 湿気《しっけ》
13 逝《い》(った)
14 芝生《しばふ》
15 猫舌《ねこじた》
16 靴《くつ》
17 装《よそお》(い)
18 石臼《いしうす》

19 僅《わず》(僅《わず》)(かな)
20 桁違《けたちが》(い)
21 塞《ふさ》(がれ)
22 鎌《かま》
23 渡《わた》(れ)
24 縁《えん》
25 抱《いだ》(け)

11「給仕《きゅうじ》」は、飲食店で食事などを客に提供するなどの世話をすること。またそれを行う人。

15「猫舌《ねこじた》」は、熱いものを食べたり飲んだりすることが苦手な人のこと。

18「石臼《いしうす》」は、物を砕いて粉にする道具。

23「浅《あさ》い川《かわ》も深《ふか》く渡《わた》れ」は、簡単そうに見えることであっても用心して慎重に行えというましめ。

24「縁《えん》は異《い》なもの味《あじ》なもの」は、男女の出会いはどこでどう生まれるかわからず、不思議で面白いものであるということ。

25「少年《しょうねん》よ大志《たいし》を抱《いだ》け」は、クラーク博士の言葉で、若者は大きな志を心の中にもって世に出よということ。

問題は本冊P42~47

(一) 読み

グレーの部分は解答の補足です

各1点 計30点

1 そうけん
2 しゅんしょう
3 れいこく
4 とうほん
5 ちかく
6 ざしょう
7 しんずい
8 ぎんじょう
9 こくひん
10 あいびょう
11 へんれい
12 おうぎ
13 ふうたい
14 しっぺい
15 しょうじょう
16 そうりょ
17 せき
18 きぐ
19 ねんしゅつ
20 ぼっぱつ
21 うね
22 みずくき
23 おのおの
24 ざこ
25 のりと
26 みさお
27 なべ
28 そそのか(す)
29 のろ(わば)
30 はきもの

2「春宵一刻値千金《しゅんしょういっこくあたいせんきん》」は、わが国では春の宵のすばらしさをいうときに使われる。

13「風袋《ふうたい》」は、物の重さを量る際に、量りたい物を包んでいる紙や入れ物、箱などのこと。

22「水茎《みずくき》」は、毛筆で書いた文字。

(二) 部首

グレーの部分は部首の名前です

各1点 計10点

1 ⺪(ひきへん)
2 ム(む)
3 口(くち)
4 木(き)
5 辛(からい)
6 卜(と うらない)
7 土(つち)
8 大(だい)
9 曰(ひらび いわく)
10 酉(とりへん)

(三) 熟語の構成

各2点 計20点

1 イ
2 ウ
3 ウ
4 エ
5 ア
6 イ
7 オ
8 ウ
9 エ
10 ア

雲泥《うんでい》 雲(天)↕泥(地)
凸版《とっぱん》 凸(出っ張っている)↓版(板)
官邸《かんてい》 官(役人)の↓邸(家)
懸念《けねん》 懸(かる)↑念(気に)
屯集《とんしゅう》 どちらも「あつまる」の意。
首尾《しゅび》 首↕尾
未遂《みすい》 未(いま)だ遂げず。
浄財《じょうざい》 浄(きよい)↓財(寄付金)
徹夜《てつや》 徹(する)↑夜(を)
惑溺《わくでき》 どちらも「物事に心を奪われる」の意。

(四) 四字熟語

グレーの部分は解答の補足です

問1 各2点/計20点

1 合従《がっしょう》(連衡《れんこう》)
2 (忙中《ぼうちゅう》)有閑《ゆうかん》
3 薬石《やくせき》(無効《むこう》)
4 (呉越《ごえつ》)同舟《どうしゅう》
5 破邪《はじゃ》(顕正《けんしょう》)
6 (犬牙《けんが》(牙《が》))相制《そうせい》
7 熱願《ねつがん》(冷諦《れいてい》)
8 (巧言《こうげん》)令色《れいしょく》
9 詩歌《しいか》(管弦《かんげん》)
10 (変幻《へんげん》)自在《じざい》

その時々の利害に応じて、協力したり離反したりすること。

忙しいときであっても、ほっと一息つく暇があること。

いろいろ治療したが効果がないこと。

不仲の者たちが行動を共にすること。

不正を打ち破り、正義を明らかにすること。「顕正」は「けんせい」とも読む。

国境が入り組んだ状態で互いにけん制し合うこと。

熱心に願うことと、冷静によく見ること。

口先だけで言葉を飾り、こびへつらうこと。

文学(漢詩や和歌)と、音楽(管楽器と弦楽器)。

思いのままに現れたり消えたりすること。

問2 各2点/計10点

11 ケ
12 オ
13 ウ
14 エ
15 ア

(五) 対義語・類義語

各2点 計20点

グレーの部分は問題の熟語です

1 貫徹《かんてつ》⇔挫折《ざせつ》
2 打倒《だとう》⇔擁立《ようりつ》
3 小計《しょうけい》⇔累計《るいけい》
4 栄達《えいたつ》⇔零落《れいらく》
5 純白《じゅんぱく》⇔漆黒《しっこく》
6 和合《わごう》＝融和《ゆうわ》
7 仲間《なかま》＝同僚《どうりょう》
8 除去《じょきょ》＝抹殺《まっさつ》
9 奇抜《きばつ》＝斬新《ざんしん》
10 範囲《はんい》＝枠内《わくない》

3「累計《るいけい》」は、計を順次に加えて合計を出すこと。また、その数。

(六) 同音・同訓異字

各2点 計20点

グレーの部分は解答の補足です

1 勧告《かんこく》
2 韓国《かんこく》
3 拒否《きょひ》
4 巨費《きょひ》
5 交渉《こうしょう》
6 考証《こうしょう》
7 騰貴《とうき》
8 登記《とうき》
9 沈《しず》（める）
10 鎮《しず》（める）

8「登記《とうき》」は、不動産など一定の権利などに関する事項を登記簿に記載すること。

(七) 誤字訂正

各2点 計10点

グレーの部分は誤字・正字を含む熟語です

	〔誤〕		〔正〕
1	絶（えて）	→	耐（えて）
2	清 緻	→	精 緻
3	択 越	→	卓 越
4	候 参	→	降 参
5	頂 望	→	眺 望

(八) 漢字と送りがな

各2点 計10点

1 弄《もてあそ》ぶ
2 貫《つらぬ》く
3 忌《い》まわしい
4 欺《あざむ》く
5 企《くわだ》てる

(九) 書き取り

各2点 計50点

グレーの部分は解答の補足です

1 強肩《きょうけん》
2 愛想《あいそ》
3 舶来《はくらい》
4 予鈴《よれい》
5 控除《こうじょ》
6 趣味《しゅみ》
7 妊娠《にんしん》
8 塾《じゅく》
9 貢献《こうけん》
10 菌類《きんるい》
11 坊主《ぼうず》
12 間隙《かんげき》
13 兼《か》（ねて）
14 褒《ほ》（め）
15 芋《いも》
16 襟《えり》
17 蚊《か》
18 兆《きざ》（し）
19 長袖《ながそで》
20 爽《さわ》（やか）
21 山裾《やますそ》
22 鍵《かぎ》
23 隅《すみ》
24 腕《うで》
25 釣《つ》（る）

3「舶来《はくらい》」は、外国から船で運ばれてくること。また、運ばれてくる品物のこと。

10「菌類《きんるい》」は、キノコやカビなどの総称のこと。

17「マラリア」は、熱帯・亜熱帯地域を中心に感染者の多い病気で、マラリア原虫を病原体とする。発熱や腹痛などの症状を伴う。


23「重箱《じゅうばこ》の隅《すみ》を楊枝《ようじ》でほじくる」は、取るに足りない細かいところまで詮索するたとえ。

24「のれんに腕押《うでお》し」は、反応のない相手にもどかしい思いをする場合に用いる。

25「エビでタイを釣《つ》る」は、少しの苦労や負担で大きな利益を得ること。

問題は本冊 P48～53

（一） 読み

各1点 計30点

グレーの部分は解答の補足です

1 かくど
2 くんこう
3 せんたくし
4 ていたく
5 へんせん
6 かんとく
7 しへい
8 げんぽう
9 こんせつ
10 どたんば
11 かちゅう
12 にょじつ
13 ひんぴん
14 きちじょう きっしょう
15 はんじょう

16 ふうき
17 しゅよう
18 かいげんくよう
19 ひよく
20 ほんろう
21 いろど（る）
22 にお（い）
23 ふた
24 くろうと
25 のら
26 やよい
27 やみいち
28 さしえ
29 たわむ（れる）
30 ふもと

12「如実《にょじつ》」は、事実のそのままであること。
14「吉祥天《きちじょうてん》」は、福徳を与えてくれる女神。「吉祥」は「きっしょう」とも読む。
16「富貴《ふうき》」は、高い身分と財産を持っていること。
19「肥沃《ひよく》」は、土地が豊かで農作物がよくできること。

（二） 部首

各1点 計10点

グレーの部分は部首の名前です

1 女（おんな）
2 氏（うじ）
3 弓（ゆみ）
4 口（くち）
5 衣（ころも）
6 心（こころ）
7 罒（あみがしら あみめ よこめ）
8 氺（したみず）
9 冫（にすい）
10 土（つち）

（三） 熟語の構成

各2点 計20点

1 エ
2 イ
3 ウ
4 イ
5 ウ
6 オ
7 ア
8 エ
9 ア
10 エ

忍苦《にんく》 忍（ぶ）⬆苦（痛を）
硬軟《こうなん》 硬（い）⬍軟（らかい）
尚早《しょうそう》 尚（なお）⬇早（い）
興廃《こうはい》 興（おこる）⬍廃（すたれる）
覇気《はき》 覇（者となる）⬇気（いきごみ）
無我《むが》 我（自分）が無い。
安寧《あんねい》 どちらも「やすらか」の意。
罷業《ひぎょう》 罷（やめる）⬆作（業を）
把持《はじ》 どちらも「もつ」の意味。
殉教《じゅんきょう》 殉（じる）⬆教（宗教に）

（四） 四字熟語

グレーの部分は解答の補足です

問1 各2点／計20点

1 精《しょう》進《じん》（潔《けっ》斎《さい》）
2 （謹《きん》厳《げん》）実《じっ》直《ちょく》
3 会《え》者《しゃ》（定《じょう》離《り》）
4 （画《が》蛇《だ》）添《てん》足《そく》
5 暗《あん》中《ちゅう》（模《も》索《さく》）
6 （盲《もう》亀《き》）浮《ふ》木《ぼく》
7 玉《ぎょく》石《せき》（混《こん》交《こう》）
8 （異《い》端《たん》）邪《じゃ》説《せつ》
9 簡《かん》単《たん》（明《めい》瞭《りょう》）
10 （遮《しゃ》二《に》）無《む》二《に》

行いを慎んで心身を清めること。
慎み深く、誠実なこと。
この世で会った者は必ず離れる運命にあるということ。世の無常をいう語。
無用なものをつけ足すこと。蛇足。
手がかりのないまま、いろいろと試みること。
出会うことが非常に難しいこと。とてもまれなこと。めったに起こらないこと。
良いものと悪いものが混じっていること。
正統ではないよこしまな思想や信仰、学説。「邪説異端」ともいう。
単純ではっきりとしていること。わかりやすいこと。
あれこれと他のことは考えず、そのことだけをがむしゃらになすこと。

問2 各2点／計10点

11 オ
12 エ
13 キ
14 ク
15 ア

(五) 対義語・類義語

各2点 計20点

グレーの部分は問題の熟語です

1 豊富《ほうふ》⇔僅《きん》(僅《きん》)少《しょう》
2 潜在《せんざい》⇔顕在《けんざい》
3 放任《ほうにん》⇔干渉《かんしょう》
4 反逆《はんぎゃく》⇔恭順《きょうじゅん》
5 巧遅《こうち》⇔拙速《せっそく》
6 完遂《かんすい》＝成就《じょうじゅ》
7 漂泊《ひょうはく》＝流浪《るろう》
8 光陰《こういん》＝星霜《せいそう》
9 痛烈《つうれつ》＝辛辣《しんらつ》
10 沿革《えんかく》＝変遷《へんせん》

5「拙速《せっそく》」は、出来は悪いながらも仕上がりは早いこと。

(六) 同音・同訓異字

各2点 計20点

1 急逝《きゅうせい》
2 旧姓《きゅうせい》
3 斉唱《せいしょう》
4 青松《せいしょう》
5 解析《かいせき》
6 懐石《かいせき》
7 検針《けんしん》
8 献身《けんしん》
9 歯《は》
10 刃《は》

6「会席料理《かいせきりょうり》」との違いに注意。

(七) 誤字訂正

各2点 計10点

グレーの部分は誤字・正字を含む熟語です

〔誤〕→〔正〕
1 茶詰み→茶摘み
2 篤名→匿名
3 閉めて→締めて
4 吐布→塗布
5 撤底→徹底

(八) 漢字と送りがな

各2点 計10点

1 恭《うやうや》しく
2 恐《おそ》ろしい
3 朽《く》ちる
4 謹《つつし》ん
5 虐《しいた》げる

(九) 書き取り

各2点 計50点

グレーの部分は解答の補足です

1 搾取《さくしゅ》
2 桟橋《さんばし》
3 循環器《じゅんかんき》
4 営巣《えいそう》
5 陶磁《とうじ》
6 閲覧《えつらん》
7 忍術《にんじゅつ》
8 浄土《じょうど》
9 免疫《めんえき》
10 祝儀《しゅうぎ》
11 稲作《いなさく》
12 描《えが》(く)
13 酌《く》(んで)
14 殴《なぐ》(り)
15 氷室《ひむろ》
16 垣根《かきね》
17 蛍《ほたる》
18 涼《すず》(しげ)
19 叱《しか》(られ)
20 腫《は》(れた)
21 憧《あこが》(れ)
22 溺《おぼ》(溺《おぼ》)(れた)
23 朱《しゅ》
24 机上《きじょう》
25 窮《きゅう》

10「祝儀《しゅうぎ》」は、お祝いの意を表すために贈る金銭や品物。

15「氷室《ひむろ》」は、冷凍庫がない時代に氷を貯蔵するための施設のこと。

23「朱《しゅ》に交《まじ》われば赤《あか》くなる」は、人は付き合う友人やおかれた環境によって良くも悪くもなるということ。

24「机上《きじょう》の空論《くうろん》」は、頭の中だけで考え出された現実には役に立たない理論や考えのこと。

25「窮《きゅう》すれば通《つう》ず」は、事態が行き詰ってどうにもならなくなると、かえって思いがけない活路が開けるということ。

（一）読み

グレーの部分は解答の補足です

各1点 計30点

1 かっぱ
2 せんじゃく
3 ちゃくし
4 ぼうせき
5 ちゅうすう
6 へんけん
7 ごい
8 しさ
9 とんでんへい
10 ふんぜん
11 どびん
12 てんか
13 ちゅうせきせい
14 ちょうもん
15 しゃくどう
16 げんち
17 こしょう
18 かんさん
19 きんせん
20 せいとん
21 はば(む)
22 なら(って)
23 おば
24 かや
25 みだ(ら)
26 りょうわき
27 あ(て)
28 おこ(る)
29 まゆ
30 いろつや

13「沖積世《ちゅうせきせい》」は、「完新世」とも呼び、氷河期以降現代までの時代区分のこと。

22「習う」と混同しないようにしよう。

24「蚊帳《かや》」は、夏の間部屋の中に入ってきた蚊などの害虫から人を守るために部屋の四隅からつるす麻などでできた目の粗い網。

（二）部首

グレーの部分は部首の名前です

各1点 計10点

1 屮（てつ）
2 亠（なべぶた けいさんかんむり）
3 言（げん）
4 瓦（かわら）
5 豕（ぶた いのこ）
6 攵（のぶん ぼくづくり）
7 目（め）
8 殳（るまた ほこづくり）
9 凵（うけばこ）
10 馬（うま）

（三）熟語の構成

各2点 計20点

1 ウ
2 ア
3 イ
4 オ
5 ウ
6 ア
7 エ
8 ア
9 エ
10 ウ

痛快《つうかい》 痛（非常に）➡快（い）
曖昧《あいまい》 どちらも「はっきりしない」の意。
浮沈《ふちん》 浮（く）⬍沈（む）
非凡《ひぼん》 凡（並み）に非（あら）ず。
旋風《せんぷう》 旋（うずまきの）➡風
扶助《ふじょ》 どちらも「たすける」の意。
開扉《かいひ》 開（ける）⬆扉（を）
褒賞《ほうしょう》 どちらも「ほめる」の意。
造幣《ぞうへい》 造（製造する）⬆幣（貨幣を）
貴賓《きひん》 貴（い）➡賓（客）

（四）四字熟語

グレーの部分は解答の補足です

問1 各2点／計20点

1 志操《しそう》（堅固《けんご》）
2 （熟慮《じゅくりょ》）断行《だんこう》
3 大願《たいがん》（成就《じょうじゅ》）
4 （権謀《けんぼう》）術数《じゅつすう》
5 綱紀《こうき》（粛正《しゅくせい》）
6 （唯《い》唯《い》 唯《い》々《い》）諾諾《だくだく》
7 色即《しきそく》（是空《ぜくう》）
8 （酒池《しゅち》）肉林《にくりん》
9 面従《めんじゅう》（腹背《ふくはい》）
10 （白眉《はくび》）最良《さいりょう》

1 主義や志がしっかりと定まっていて、容易にはくずれないこと。
2 十分に考えたうえで、思いきって実行すること。
3 大きな願いがとげられること。「大願」は「だいがん」とも読む。
4 人をあざむくたくらみやはかりごと。
5 政治家や役人の態度を正すこと。
6 事の善悪に関係なく言いなりになること。
7 すべての物には形があるが、形は実在ではなく本質は空である、という意。
8 酒や食べ物があふれ、豪遊すること。
9 表面上は服従するふりをしながら、内心では反抗していること。
10 同類や兄弟の中で、最も優れた人物のこと。

問2 各2点／計10点

11 ケ
12 ク
13 エ
14 イ
15 オ

問題は本冊P54~59

（五）対義語・類義語

各2点 計20点

グレーの部分は問題の熟語です

1 厳格《げんかく》⇔寛容《かんよう》
2 高慢《こうまん》⇔謙虚《けんきょ》
3 低俗《ていぞく》⇔高尚《こうしょう》
4 欠如《けつじょ》⇔充実《じゅうじつ》
5 尊敬《そんけい》⇔軽蔑《けいべつ》
6 念願《ねんがん》＝本懐《ほんかい》
7 奉仕《ほうし》＝献身《けんしん》
8 暗示《あんじ》＝示唆《しさ》
9 永眠《えいみん》＝逝去《せいきょ》
10 譲歩《じょうほ》＝妥協《だきょう》

6「本懐《ほんかい》」は、前からかくありたいと願っていた事柄。

（六）同音・同訓異字

各2点 計20点

グレーの部分は解答の補足です

1 奨励《しょうれい》
2 症例《しょうれい》
3 星霜《せいそう》
4 清掃《せいそう》
5 宣誓《せんせい》
6 先制《せんせい》
7 疎外《そがい》
8 阻害《そがい》
9 荒《あら》（い）
10 粗《あら》（い）

1「奨励《しょうれい》」は、ある事柄をよいことと評価し、それを行うように人にすすめること。

（七）誤字訂正

各2点 計10点

グレーの部分は誤字・正字を含む熟語です

	〔誤〕		〔正〕
1	合柄	→	合併
2	優慮	→	憂慮
3	殺抜	→	殺伐
4	同般	→	同伴
5	一同	→	一堂

（八）漢字と送りがな

各2点 計10点

1 傾《かたむ》く
2 慌《あわ》てる
3 潔《いさぎよ》く
4 厳《おごそ》か
5 懇《ねんご》ろ

（九）書き取り

各2点 計50点

グレーの部分は解答の補足です

1 庶民《しょみん》
2 批准《ひじゅん》
3 出奔《しゅっぽん》
4 奉仕《ほうし》
5 好事家《こうずか》
6 援助《えんじょ》
7 把握《はあく》
8 機嫌《きげん》
9 核心《かくしん》
10 叙事《じょじ》
11 断食《だんじき》
12 祈念《きねん》
13 袋《ふくろ》
14 乙女《おとめ》
15 峠《とうげ》
16 繭《まゆ》
17 亡《な》（き）
18 痩《や》（せて）
19 命乞《いのちご》（い）
20 臼《うす》
21 崖《がけ》
22 瓦《かわら》
23 菊《きく》
24 彼岸《ひがん》
25 唇《くちびる》

15「峠《とうげ》」は、日本で作られた字（国字という）。

23「六日《むいか》のあやめ、十日《とおか》の菊《きく》」は、時期遅れで無用のものとなってしまうことのたとえ。五月五日の端午《たんご》の節句にはあやめを、九月九日の重陽《ちょうよう》の節句には菊を飾るが、一日遅れでは入手しても役に立たないことから。

24「暑《あつ》さも寒《さむ》さも彼岸《ひがん》まで」は、夏の暑さは秋の彼岸（秋分の日）まで、冬の寒さは春の彼岸（春分の日）ごろまでにはやわらぐという慣用句。

25「唇《くちびる》亡びて歯《は》寒《さむ》し」は、互いに助け合うべき関係にあるものの一方がほろびてしまえば、もう一方も危うくなることのたとえ。

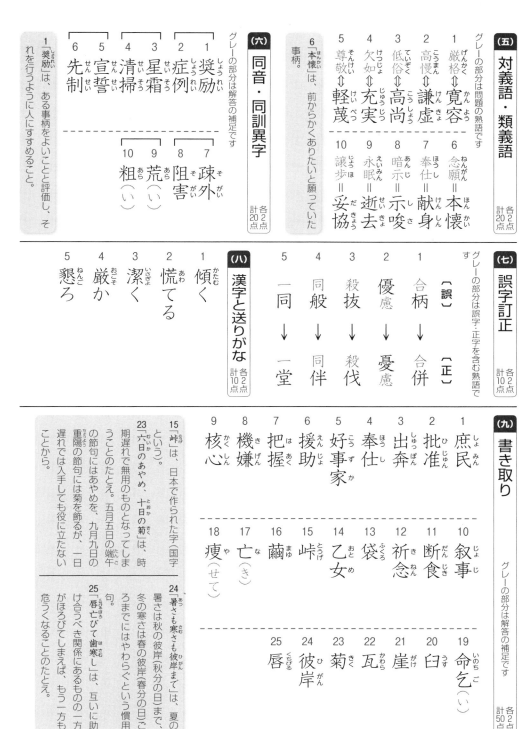

(一) 読み

グレーの部分は解答の補足です

各1点 計30点

1 かんぼつ
2 じょうよ
3 ていしん
4 めいがら
5 けいるい
6 ふよう
7 あんねい
8 じゅんぼく
9 ぜんじ
10 ねんざ
11 きょうしゃ
12 さしょう
13 せっけい
14 ろうにゃく
15 くないちょう
16 せきじつ
17 だんがい
18 しんし
19 さく
20 はんざつ
21 うと(い)
22 むね
23 ぎわ
24 みき
25 ますめ
26 きわ(まった)
27 かまあ(げ)
28 かまくら
29 しいた(げ)
30 まかな(い)

3「逓信省《ていしんしょう》」は、郵政省(二〇〇一年廃止、現総務省)の前身。
14 この例文の場合は「ろうにゃくなんにょ」と読む。
16「昔日《せきじつ》」は、むかしのこと。
24「お神酒《みき》」は、神前に供えるお酒のこと。

(二) 部首

グレーの部分は部首の名前です

各1点 計10点

1 罒(あみがしら あみめ よこめ)
2 車(くるまへん)
3 手(て)
4 戸(とだれ とかんむり)
5 火(ひへん)
6 田(た)
7 覀(おおいかんむり)
8 戈(ほこづくり ほこがまえ)
9 心(こころ)
10 水(みず)

(三) 熟語の構成

各2点 計20点

1 ウ
2 ア
3 ウ
4 イ
5 オ
6 ア
7 ア
8 エ
9 エ
10 ウ

義憤《ぎふん》 義(道義的な)➡憤(り)
教諭《きょうゆ》 どちらも「おしえる」の意。
銘菓《めいか》 銘(名のある上等な)➡菓(子)
諾否《だくひ》 諾(承諾)⬍否(拒否)
未婚《みこん》 未(いま)だ結婚せず。
朴直《ぼくちょく》 どちらも「すなお」の意。
治癒《ちゆ》 どちらも「なおす」の意。
出廷《しゅってい》 出(る)⬆廷(法廷に)
崇仏《すうぶつ》 崇(たっとぶ)⬆仏(を)
抹茶《まっちゃ》 抹(すりつぶして粉にした)➡茶

(四) 四字熟語

グレーの部分は解答の補足です

問1 各2点／計20点

1 諸行《しょぎょう》(無《む》常《じょう》)
2 (刹《せつ》那《な》)主《しゅ》義《ぎ》
3 六根《ろっこん》(清浄《しょうじょう》)
4 (長袖《ちょうしゅう》)善《ぜん》舞《ぶ》
5 鼓《こ》腹《ふく》(撃《げき》壌《じょう》)
6 (自《じ》縄《じょう》)自《じ》縛《ばく》
7 内憂《ないゆう》(外《がい》患《かん》)
8 (春宵《しゅんしょう》)一《いっ》刻《こく》
9 減《げん》価《か》(償却《しょうきゃく》)
10 (迅《じん》速《そく》)果《か》断《だん》

この世のすべては常に移り変わり、永久に不変のものはないということ。
人生その瞬間、瞬間が満足できればよいとする考え。
認識をつかさどる六つの器官が清らかになり、心身が清浄な境地に至ること。
事前にしっかりと準備をしていれば、物事は成功しやすいということ。
理想的な政治が人民に行き届いていることのたとえ。
自身の心がけや言動によって身動きがとれなくなり、苦しむこと。
国内の心配事と、外国との間に生じる問題。内外ともに不安が多いこと。
春の夜は趣が深く、その一刻は莫《ばく》大な金に値するほど貴重であること。
固定資産の金額を耐用年数に従って減損額とし、回収する手続き。
物事をすばやく決断し、思いきって実行すること。

問2 各2点／計10点

11 オ
12 カ
13 ク
14 コ
15 ア

(五) 対義語・類義語

各2点 計20点

グレーの部分は問題の熟語です

1 大胆《だいたん》⇔臆病《おくびょう》
2 獲得《かくとく》⇔喪失《そうしつ》
3 酸化《さんか》⇔還元《かんげん》
4 更生《こうせい》⇔堕落《だらく》
5 汚濁《おだく》⇔清浄《せいじょう》
6 残念《ざんねん》＝遺憾《いかん》
7 互角《ごかく》＝伯仲《はくちゅう》
8 抜粋《ばっすい》＝抄録《しょうろく》
9 平穏《へいおん》＝安泰《あんたい》
10 公表《こうひょう》＝披露《ひろう》

8「抄録《しょうろく》」は、論文などの必要な部分だけを書き抜くこと。抜き書き。

(六) 同音・同訓異字

各2点 計20点

1 洗濯《せんたく》
2 選択《せんたく》
3 挑発《ちょうはつ》
4 調髪《ちょうはつ》
5 妥当《だとう》
6 打倒《だとう》
7 苦衷《くちゅう》
8 駆虫《くちゅう》
9 帆《ほ》
10 穂《ほ》

4「調髪《ちょうはつ》」は、髪の毛を整えること。
7「苦衷《くちゅう》」は、苦しくてつらい心のうちのこと。

(七) 誤字訂正

各2点 計10点

グレーの部分は誤字・正字を含む熟語です

	〔誤〕		〔正〕
1	憤出	↓	噴出
2	粉争	↓	紛争
3	倹定	↓	検定
4	防害	↓	妨害
5	豊和	↓	飽和

(八) 漢字と送りがな

各2点 計10点

1 施《ほどこ》す
2 芳《かんば》しく
3 唆《そその》かす
4 遮《さえぎ》っ
5 慈《いつく》しむ

(九) 書き取り

各2点 計50点

グレーの部分は解答の補足です

1 廃止《はいし》
2 水泡《すいほう》
3 脚立《きゃたつ》
4 木琴《もっきん》
5 休憩《きゅうけい》
6 冒険《ぼうけん》
7 管弦《かんげん》
8 妥協《だきょう》
9 献立《こんだて》
10 管轄《かんかつ》
11 装塡《そうてん》（填《てん》）
12 眉目《びもく》
13 敷《し》(く)
14 鬼《おに》
15 枯《か》(れ)
16 渇《かわ》(き)
17 靴擦《くつず》(れ)
18 覆《くつがえ》(す)
19 卸《おろ》(し)
20 膝《ひざ》
21 罵《ののし》(られた)
22 剝《は》(ぐ)
23 江戸《えど》
24 踊《おど》(り)
25 抜《ぬ》(く)

12「眉目秀麗《びもくしゅうれい》」は、顔立ちが整っていて美しいこと。特に男性の顔立ちが美しい場合に使われる。

23「江戸《えど》の敵《かたき》を長崎《ながさき》で討《う》つ」は、意外な場所で昔の恨みの仕返しをすること。また、筋違いなことで仕返しをすること。

24「すずめ百《ひゃく》まで踊《おど》り忘《わす》れず」は、すずめは死ぬまで飛び跳ねる癖が抜けないように、人も幼いころの癖は死ぬまで抜けないということ。

25「生《い》き馬《うま》の目《め》を抜《ぬ》く」は、生きている馬の目を抜き取るほどすばやいことから、他人を出し抜いてすばやく利益を得ること。少しも油断できないことのたとえ(良くないことについて使うことが多い)。

(一) 読み

各1点 計30点

グレーの部分は解答の補足です

1 けいちょう
2 やっかん
3 ちゅうよう
4 さいりょう
5 ふずい
6 みってい
7 こくじ
8 れんぱ
9 じう
10 どきょう
11 かつぼう
12 しんしん
13 ちょうめい
14 じょうじゅ
15 ひごう
16 しゅじょう
17 ざせつ
18 しっと
19 うげん
20 きぐ
21 いしずえ
22 えさ
23 とえはたえ
24 す(べる)
25 うぶゆ
26 こ(う)
27 おじ
28 とびら
29 わく
30 うやうや(しく)

4「宰領《さいりょう》」は、物事を取り仕切ること。旅行に付き添い世話をすること。
12「津《しん》」には「あふれ出る」という意味がある。
27「おじ」は、父母の兄弟だが、兄の場合は「伯父」、弟の場合は「叔父」と書く。

(二) 部首

各1点 計10点

グレーの部分は部首の名前です

1 貝(かい こがい)
2 一(いち)
3 里(さと)
4 衣(ころも)
5 木(き)
6 瓦(かわら)
7 彑(けいがしら)
8 巾(はば)
9 干(かん いちじゅう)
10 一(いち)

(三) 熟語の構成

各2点 計20点

1 イ
2 ア
3 エ
4 ウ
5 ア
6 エ
7 オ
8 イ
9 ウ
10 ア

優劣《ゆうれつ》 優(れている)⇔劣(っている)
履行《りこう》 どちらも「おこなう」の意。
捕鯨《ほげい》 捕(る)←鯨(を)
妄想《もうそう》 妄(でたらめな)→想(像)
凡庸《ぼんよう》 どちらも「ふつう」の意。
振鈴《しんれい》 振(る)←鈴(を)
非礼《ひれい》 礼に非(あら)ず。
往還《おうかん》 往(いく)⇔還(かえる)
漆黒《しっこく》 漆(のように)→黒(くつやがある)
裕福《ゆうふく》 どちらも「豊かである」の意。

(四) 四字熟語

グレーの部分は解答の補足です

問1 各2点/計20点

1 土豪《どごう》(劣紳《れっしん》)
2 (盛者《じょうしゃ》)必衰《ひっすい》
3 円転《えんてん》(滑脱《かつだつ》)
4 (亀甲《きっこう》)獣骨《じゅうこつ》
5 百花《ひゃっか》(斉放《せいほう》)
6 (流言《りゅうげん》)飛語《ひご》
7 眉間《びかん》(一尺《いっしゃく》)
8 (唇亡《しんぼう》)歯寒《しかん》
9 偶像《ぐうぞう》(崇拝《すうはい》)
10 (百鬼《ひゃっき》)夜行《やこう》

官僚や軍閥と結託して農民を搾取《さくしゅ》する大地主や資産家のこと。
勢いの盛んな者もいつかは滅びるということ。この世は無常であるということ。
人との間が角立たず、物事がすらすら運ぶさま。
亀の甲羅と獣の骨。古代中国では占いを行う際に使用していた。
さまざまな学問や芸術が盛んに行われること。
確証もなく言いふらされるうわさ。
賢人の相のたとえ。「眉間」を「みけん」と読み誤りやすい。
密接な関係にあるものの一方がくずれると、片方も危険にさらされること。
神像や仏像などを尊ぶ宗教的なあり方。
得体の知れない人たちがのさばり、勝手に振る舞うこと。

問2 各2点/計10点

11 ウ
12 ア
13 オ
14 コ
15 ク

問題は本冊 P66~71

(五) 対義語・類義語

各2点 計20点

グレーの部分は問題の熟語です

1 賞賛《しょうさん》⇔叱責《しっせき》
2 理論《りろん》⇔実践《じっせん》
3 軽侮《けいぶ》⇔崇拝《すうはい》
4 総合《そうごう》⇔分析《ぶんせき》
5 粗略《そりゃく》⇔丁寧《ていねい》
6 心配《しんぱい》＝懸念《けねん》
7 尽力《じんりょく》＝奔走《ほんそう》
8 荘重《そうちょう》＝厳粛《げんしゅく》
9 混乱《こんらん》＝紛糾《ふんきゅう》
10 病気《びょうき》＝疾患《しっかん》

3「軽侮《けいぶ》」は、人を軽んじて、あなどること。

(六) 同音・同訓異字

各2点 計20点

グレーの部分は解答の補足です

1 高騰《こうとう》
2 口頭《こうとう》
3 督励《とくれい》
4 特例《とくれい》
5 官邸《かんてい》
6 鑑定《かんてい》
7 更迭《こうてつ》
8 鋼鉄《こうてつ》
9 刈《か》(り)
10 駆《か》(り)

7「更迭《こうてつ》」は、ある地位にある人物を、他の人物と入れ替えること。

(七) 誤字訂正

各2点 計10点

グレーの部分は誤字・正字を含む熟語です

	〔誤〕		〔正〕
1	興憤	↓	興奮
2	憂玄	↓	幽玄
3	完推	↓	完遂
4	嫉責	↓	叱責
5	名打ち	↓	銘打ち

(八) 漢字と送りがな

各2点 計10点

1 潤《うるお》す
2 授《さず》ける
3 謝《あやま》る
4 瞬《またた》く
5 惜《お》しく

(九) 書き取り

各2点 計50点

グレーの部分は解答の補足です

1 脳梗塞《のうこうそく》
2 収賄《しゅうわい》
3 堆積《たいせき》
4 年貢《ねんぐ》
5 架空《かくう》
6 帽子《ぼうし》
7 栓《せん》
8 懸命《けんめい》
9 妃《ひ》
10 遊説《ゆうぜい》
11 股関節《こかんせつ》
12 訃報《ふほう》
13 幾《いく》(つ)
14 墨《すみ》
15 淡《あわ》(い)
16 且《か》(つ)
17 欲《ほっ》(する)
18 偽《にせ》
19 沸《わ》(いた)
20 餅《もち》(餅《もち》)
21 肘掛《ひじか》(け)
22 尻拭《しりぬぐ》(い)
23 尽《つ》(くして)
24 井《い》
25 巻《ま》(かれ)

5「カクウ」を「仮空」と誤記しないように。

10「遊説《ゆうぜい》」は、自分の意見を説いてまわること。特に政治家が各地で演説を行うことをさす。

12「訃報《ふほう》」は、人が死去したという知らせのこと。

23「人事《じんじ》を尽《つ》くして」は、人として最善の努力をやり尽くして、という意味。

24「井《い》の中《なか》のかわず大海《たいかい》を知《し》らず」は、他の広い世界を知らずに、自分の住んでいるところが全てだと思い込むこと。

25「長《なが》い物には巻《ま》かれろ」は、力の強い相手とは争わず、それに従った方が得策だということ。

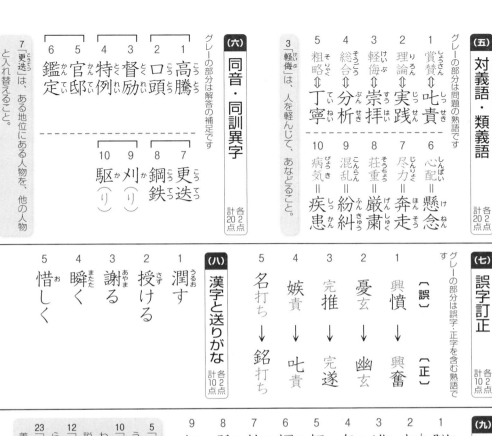

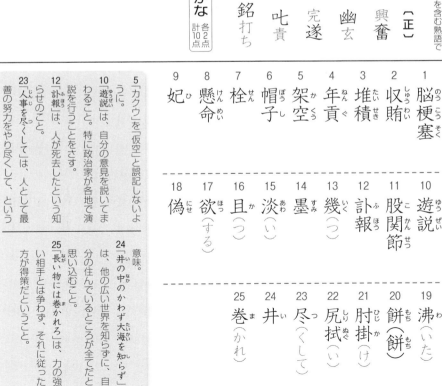

問題は本冊P72~77

(一) 読み

グレーの部分は解答の補足です

各1点 計30点

1 けっしゅつ
2 そうすい
3 しんちょく
4 かんしつ
5 ばいしょう
6 けいぶ
7 きゅうめいてい
8 ちょうそ
9 あま
10 いっちょうら
11 かんこどり
12 こうじょ
13 どくしんじゅつ
14 かんにん
15 もうじゃ
16 ごんぎょう
17 ゆさん
18 いす
19 じんぞう
20 すま
21 ひるがえ(る)
22 いつく(しむ)
23 がた(い)
24 とあみ
25 おもや
26 うちまた
27 おど(し)
28 く(む)
29 ほうむ(る)
30 えさ

8「彫塑《ちょうそ》」は、粘土などを用いて作った像のこと。

11「閑古鳥《かんこどり》が鳴《な》く」は、訪れる人がなくひっそりしているさま。また、商売がはやらないこと。閑古鳥はかっこうのこと。

17「物見遊山《ものみゆさん》」は、あちらこちらを見物し遊び歩くこと。

(二) 部首

グレーの部分は部首の名前です

各1点 計10点

1 大(だい)
2 疒(やまいだれ)
3 ノ(の はらいぼう)
4 十(じゅう)
5 一(いち)
6 糸(いと)
7 麻(あさ)
8 耒(すきへん らいすき)
9 臼(うす)
10 山(やま)

(三) 熟語の構成

各2点 計20点

1 イ
2 エ
3 イ
4 エ
5 ア
6 エ
7 ウ
8 オ
9 ウ
10 ウ

陰陽《いんよう》 陰(かげ)⇕陽(ひなた)
押韻《おういん》 押(ふむ)↑韻(を)
去就《きょしゅう》 去る⇕就く
製靴《せいか》 製(作する)↑靴(を)
婚姻《こんいん》 どちらも「縁組をする」の意。
防疫《ぼうえき》 防(予防する)↑疫(病を)
廉価《れんか》 廉(やすい)↓価(格)
無視《むし》 視(みえること)が無い。
老翁《ろうおう》 老(年を取った)↓翁(老人)
逸材《いつざい》 逸(優れた)↓材(人材)

(四) 四字熟語

グレーの部分は解答の補足です

問1 各2点/計20点

1 放歌《ほうか》(高吟《こうぎん》)
2 (少壮《しょうそう》)気鋭《きえい》
3 羽化《うか》(登仙《とうせん》)
4 (換骨《かんこつ》)奪胎《だったい》
5 南船《なんせん》(北馬《ほくば》)
6 (秋霜《しゅうそう》)烈日《れつじつ》
7 意気《いき》(阻喪《そそう》)
8 (酔生《すいせい》)夢死《むし》
9 無影《むえい》(無踪《むそう》)
10 (千紫《せんし》)万紅《ばんこう》

あたりかまわず大声で歌うこと。「高歌放吟」ともいう。

年が若く意気盛んなこと。

酒などに酔って良い気分になることのたとえ。天にも昇る気持ち。

骨をとりかえ胎盤を奪う意で、古い作品に工夫を加えて独自の作品とすること。

あちらこちらへ絶えず旅をしていること。

刑罰や権威、意志などが非常に厳しいこと。

勢い込んでいた気持ちがくじけること。

何をすることもなく、むなしく一生を過ごすこと。

どこに行ったかわからないこと。行方知れず。

色とりどりの花々が咲き乱れること。

問2 各2点/計10点

11 オ
12 ウ
13 ク
14 イ
15 カ

(五) 対義語・類義語

各2点 計20点

グレーの部分は問題の熟語です

1 明確《めいかく》⇔曖昧《あいまい》
2 絶賛《ぜっさん》⇔酷評《こくひょう》
3 混乱《こんらん》⇔秩序《ちつじょ》
4 借覧《しゃくらん》⇔購読《こうどく》
5 真実《しんじつ》⇔虚偽《きょぎ》
6 苦労《くろう》＝辛酸《しんさん》
7 扇動《せんどう》＝教唆《きょうさ》
8 処罰《しょばつ》＝懲戒《ちょうかい》
9 寄与《きよ》＝貢献《こうけん》
10 頑固《がんこ》＝偏屈《へんくつ》

6「辛酸《しんさん》」はさまざまな苦労。「辛酸をなめる」という慣用句として使う。

(六) 同音・同訓異字

各2点 計20点

グレーの部分は解答の補足です

1 荒廃《こうはい》
2 後輩《こうはい》
3 覇権《はけん》
4 派遣《はけん》
5 下弦《かげん》
6 加減《かげん》
7 披露《ひろう》
8 疲労《ひろう》
9 柔《やわ》(らか)
10 和《やわ》(らげた)

5「下弦《かげん》の月」は、半月のこと。地平線に沈む際に、弦が地面に対して下を向くことから。

(七) 誤字訂正

各2点 計10点

グレーの部分は誤字・正字を含む熟語です

	〔誤〕		〔正〕
1	放した	→	離した
2	勲賞	→	勲章
3	記念	→	祈念
4	庸立	→	擁立
5	警介	→	警戒

(八) 漢字と送りがな

各2点 計10点

1 触《さわ》っ
2 償《つぐな》う
3 辱《はずかし》める
4 賢《かしこ》かっ
5 承《うけたまわ》る

(九) 書き取り

各2点 計50点

グレーの部分は解答の補足です

1 枯渇《こかつ》
2 充実《じゅうじつ》
3 自粛《じしゅく》
4 尚早《しょうそう》
5 月賦《げっぷ》
6 豪華《ごうか》
7 迅速《じんそく》
8 釣果《ちょうか》
9 音符《おんぷ》
10 缶切《かんき》(り)
11 布団《ふとん》
12 覆面《ふくめん》
13 欺《あざむ》(いて)
14 滑《すべ》(り)
15 恥《は》(ずかし)
16 砕《くだ》(かれ)
17 懐《ふところ》
18 小唄《こうた》
19 喉《のど》
20 籠《こ》(もって)
21 枕元《まくらもと》
22 虹《にじ》
23 光陰《こういん》
24 豆腐《とうふ》
25 憤《いきどお》(り)

5「月賦《げっぷ》」は、品物の代金をその場で一度に支払わず、月々に分割して支払うこと。

23「一寸《いっすん》の光陰軽《こういんかろ》んずべからず」は、ごくわずかな時間でも無駄にしてはいけないということ。「光陰」は、時間や年月の意。

24「豆腐《とうふ》にかすがい」は、何の手応えもなく、効き目もないことのたとえ。類義語に「のれんに腕押し」などがある。

25「憤《いきどお》りを発して食を忘る」は、「真理を明らかにしようと心をふるい立たせると、そのことに熱中して食事をとることも忘れてしまう」という意。

第11回 テスト 解答・解説

問題は本冊P78~83

(一) 読み

各1点 計30点

グレーの部分は解答の補足です

1 けんじょう
2 かくりょう
3 はくらい
4 だぼく
5 かんげん
6 こうてつ
7 ごすい
8 ふうりん
9 ふんいき
10 りゅうがん
11 しゃこう
12 ふせつ
13 きつもん
14 ついしょう
15 しゅうちゃく しゅうじゃく
16 ふぜい
17 こんりゅう
18 びんせん
19 がんたん
20 てんません てんまぶね
21 た(めて)
22 さた
23 かぐら
24 いな
25 も(しくは)
26 はか(り)
27 まぬか(れた) まぬが(れた)
28 てんどん
29 なぞ
30 にじ

20「伝馬船《てんません》」は、荷物を陸揚げするときなどに使うはしけぶね。

22「地獄《じごく》の沙汰《さた》も金次第《かねしだい》」は、地獄で行われる裁判さえ金でなんとかなるのだから、この世は金さえあればなんでもできるということ。

(二) 部首

各1点 計10点

グレーの部分は部首の名前です

1 土(つち)
2 虫(むし)
3 虍(とらがしら とらかんむり)
4 罒(あみがしら あみめ よこめ)
5 丨(ぼう たてぼう)
6 广(まだれ)
7 竜(りゅう)
8 穴(あなかんむり)
9 糸(いと)
10 戸(とだれ とかんむり)

(三) 熟語の構成

各2点 計20点

1 ウ
2 ア
3 エ
4 ウ
5 エ
6 イ
7 オ
8 イ
9 エ
10 ア

卵殻《らんかく》 卵(の)↓殻
包括《ほうかつ》 どちらも「ひとまとめにする」の意。
砕身《さいしん》 砕(く)↑身(を)
漆黒《しっこく》 漆(のように)↓黒(くつやがある)
克己《こっき》 克(かつ)↑己(に)
真偽《しんぎ》 真(実)⇕偽(り)
無尽《むじん》 尽きることが無い。
雅俗《がぞく》 雅(上品だ)⇕俗(いやしい)
納棺《のうかん》 納(める)↑棺(ひつぎに)
帰還《きかん》 どちらも「かえる」の意。

(四) 四字熟語

グレーの部分は解答の補足です

問1 各2点/計20点

1 身体《しんたい》(髪膚《はっぷ》)
身体全体のこと。身体と髪や皮膚を指し、頭の先から足の先までの意。

2 (眺望《ちょうぼう》)絶佳《ぜっか》
見晴らしが非常によいこと。

3 腐敗《ふはい》(堕落《だらく》)
規律や精神がたるみ乱れて、弊害が多く生ずる状態。

4 (慈眉《じび》)善目《ぜんもく》
善良そうでやさしそうに見える顔立ちのこと。

5 雄心《ゆうしん》(勃勃《ぼつぼつ》 勃々)
雄々しい勇気が盛んに湧きだしてくるさま。

6 (変幻《へんげん》)自在《じざい》
思いのままに現れたり消えたりすること。

7 月下《げっか》(氷人《ひょうじん》)
仲人のこと。

8 (和衷《わちゅう》)協同《きょうどう》
「和衷」は心の底からなごむこと。また、心を同じくすること。

9 勧善《かんぜん》(懲悪《ちょうあく》)
善行をすすめ、悪事を懲らしめること。「懲悪勧善《ちょうあくかんぜん》」ともいう。

10 (軽挙《けいきょ》)妄動《もうどう》
是非の分別もなく、軽はずみに行動すること。

問2 各2点/計10点

11 キ
12 カ
13 ク
14 イ
15 ウ

（五） 対義語・類義語

各2点 計20点

グレーの部分は問題の熟語です

1 凡百《ぼんぴゃく》⇔唯一《ゆいいつ》
2 過密《かみつ》⇔過疎《かそ》
3 決裂《けつれつ》⇔妥結《だけつ》
4 栄転《えいてん》⇔左遷《させん》
5 高慢《こうまん》⇔謙遜《けんそん》（遜）

6 丈夫《じょうぶ》＝頑健《がんけん》
7 気分《きぶん》＝機嫌《きげん》
8 順次《じゅんじ》＝逐次《ちくじ》
9 根絶《こんぜつ》＝撲滅《ぼくめつ》
10 忍耐《にんたい》＝堪忍《かんにん》

6「頑健《がんけん》」は、体がとても丈夫で健康なこと。

7「気嫌」と書きまちがえやすい。

（六） 同音・同訓異字

各2点 計20点

1 公憤《こうふん》
2 興奮《こうふん》
3 兵器《へいき》
4 併記《へいき》
5 偏食《へんしょく》
6 変色《へんしょく》

7 軽侮《けいぶ》
8 警部《けいぶ》
9 柄《え》
10 重《え》

1「公憤《こうふん》」は、社会の悪に対し、自分の利害に関係なく感じるいきどおりのこと。

（七） 誤字訂正

各2点 計10点

グレーの部分は誤字・正字を含む熟語です

〔誤〕 〔正〕

1 隠影 → 陰影
2 付き沿い → 付き添い
3 被暑地 → 避暑地
4 担荷 → 担架
5 高槽 → 高層

（八） 漢字と送りがな

各2点 計10点

1 涼《すず》しく
2 惜《お》しまれる
3 慎《つつし》ん
4 衰《おとろ》えた
5 浸《ひた》る

（九） 書き取り

各2点 計50点

グレーの部分は解答の補足です

1 硝石《しょうせき》
2 花瓶《かびん》
3 腰痛《ようつう》
4 地下茎《ちかけい》
5 天涯《てんがい》
6 菊《きく》
7 解剖《かいぼう》
8 租税《そぜい》
9 患部《かんぶ》

10 納屋《なや》
11 肯定《こうてい》
12 拳銃《けんじゅう》
13 慌《あわ》（てて）
14 沈《しず》（む）
15 冠《かんむり》
16 埋《う》（もれ）
17 渋《しぶ》
18 傘《がさ》

19 恵《めぐ》（まれた）
20 葛《くず》（葛《くず》）
21 湧《わ》（いて）
22 潰《つぶ》（れて）
23 亀《かめ》
24 猿《さる》
25 壁《かべ》

11「肯定《こうてい》」は、その通りだと認めること。

23「鶴《つる》は千年《せんねん》、亀《かめ》は万年《まんねん》」は、長寿でめでたいことのたとえ。

24「猿《さる》も木から落ちる」は、木登りの上手い猿でも木から落ちることがあるように、その道に優れた人物であっても失敗することがあるということ。類義語に「弘法《こうぼう》にも筆の誤り」がある。

25「壁《かべ》に耳《みみ》あり、障子《しょうじ》に目《め》あり」は、隠し事をしようとしても、どこで誰が見たり聞いたりしているかわからないということ。秘密はとかく漏れやすいということ。

(一) 読み

各1点 計30点

グレーの部分は解答の補足です

1 けんじ
2 はくせい
3 ふっとう
4 ばいしゃく
5 ふんいき
6 せいかん
7 ししゅく
8 ゆかい
9 はっぷん
10 ばくぜん
11 こうさつ
12 あんぎゃ
13 ふつぎょう
14 まてんろう
15 りちぎ
16 つや
17 しょうけん
18 にょうぼう
19 はんてん
20 めいおう
21 あ(てる)
22 おお(せ)
23 のど
24 だし
25 めじり
26 たまわ(った)
27 かまもと
28 とら
29 あと
30 せんばづる

7「私淑《ししゅく》」は、直接教えを受けることのなかった学者や芸術家を尊敬し、手本として努力すること。

13「払暁《ふつぎょう》」は、明け方のこと。

15「律儀《りちぎ》」は「律義」とも書く。

18この場合の「女房《にょうぼう》」は、宮廷に仕えた女性を指し、現代でいう庶民の妻とは意味が異なる。

(二) 部首

各1点 計10点

グレーの部分は部首の名前です

1 穴(あなかんむり)
2 羽(はね)
3 二(に)
4 人(ひと)
5 凵(うけばこ)
6 宀(うかんむり)
7 口(くち)
8 八(はち)
9 音(おと)
10 虍(とらがしら とらかんむり)

(三) 熟語の構成

各2点 計20点

1 ウ
2 イ
3 ア
4 エ
5 オ
6 ア
7 イ
8 ウ
9 エ
10 ア

銃創《じゅうそう》 銃(による)➡創(きず)
慶弔《けいちょう》 慶(いわう)⇕弔(う)
拒否《きょひ》 どちらも「こばむ」の意。
殺菌《さっきん》 殺(す)⬆菌(を)
未詳《みしょう》 未(いま)だ詳(つまび)らかでない。
擬似《ぎじ》 どちらも「似ている」の意。
送迎《そうげい》 送(る)⇕迎(える)
公僕《こうぼく》 公(の)➡僕(しもべ)。公務員のこと。
解禁《かいきん》 解(とく)⬆禁(止を)
謹慎《きんしん》 どちらも「つつしむ」の意。

(四) 四字熟語

グレーの部分は解答の補足です

問1 各2点/計20点

1 本末《ほんまつ》(転倒《てんとう》)
2 (志操《しそう》)堅固《けんご》
3 大悟《たいご》(徹底《てってい》)
4 (破綻《はたん》)百出《ひゃくしゅつ》
5 当意《とうい》(即妙《そくみょう》)
6 (揚眉《ようび》)吐気《とき》
7 巧遅《こうち》(拙速《せっそく》)
8 (清廉《せいれん》)潔白《けっぱく》
9 汗牛《かんぎゅう》(充棟《じゅうとう》)
10 (金科《きんか》)玉条《ぎょくじょう》

根本の大切なことと、枝葉のつまらないことを取り違えること。

意志が固く、何があっても志を変えないさま。

すべての煩悩を捨てて悟りきること。

いいかげんな言動により次々とぼろが出ること。

その場の状況に合わせて機転をきかせること。

目標を成し遂げて、喜ぶこと。我慢していた思いが解放されて喜ぶこと。

上手であっても時間がかかるよりは、下手であっても速いほうがよいということ。

心が清らかで、やましいところがないこと。

蔵書が非常に多いこと。

自らのよりどころとなる守るべき大切な法律や決まり。

問2 各2点/計10点

11 ケ
12 コ
13 ク
14 イ
15 ウ

(五) 対義語・類義語

各2点 計20点

グレーの部分は問題の熟語です

1 建設《けんせつ》⇕瓦解《がかい》
2 完訳《かんやく》⇕抄訳《しょうやく》
3 独唱《どくしょう》⇕斉唱《せいしょう》
4 硬化《こうか》⇕軟化《なんか》
5 傑作《けっさく》⇕駄作《ださく》
6 手足《てあし》＝四肢《しし》
7 核心《かくしん》＝中枢《ちゅうすう》
8 談判《だんぱん》＝交渉《こうしょう》
9 愁傷《しゅうしょう》＝哀悼《あいとう》
10 来歴《らいれき》＝由緒《ゆいしょ》

1「瓦解《がかい》」は、組織などの秩序あるものが崩壊すること。

(六) 同音・同訓異字

各2点 計20点

1 感銘《かんめい》
2 簡明《かんめい》
3 悠久《ゆうきゅう》
4 有給《ゆうきゅう》
5 船舶《せんぱく》
6 浅薄《せんぱく》
7 官房《かんぼう》
8 感冒《かんぼう》
9 墨《すみ》
10 炭《すみ》

8「感冒《かんぼう》」は、くしゃみやせき、熱などの症状をともなう病気。風邪のこと。

(七) 誤字訂正

各2点 計10点

グレーの部分は誤字・正字を含む熟語です

	〔誤〕		〔正〕
1	得物	→	獲物
2	貫行	→	敢行
3	座傷	→	座礁
4	緩漫	→	緩慢
5	需学	→	儒学

(八) 漢字と送りがな

各2点 計10点

1 促《うなが》す
2 憎《にく》らしい
3 繕《つくろ》う
4 鮮《あざ》やか
5 葬《ほうむ》ら

(九) 書き取り

各2点 計50点

グレーの部分は解答の補足です

1 藻類《そうるい》
2 曖昧《あいまい》
3 硫酸《りゅうさん》
4 倫理《りんり》
5 気迫《きはく》
6 吉日《きちじつ》
7 歳末《さいまつ》
8 秩序《ちつじょ》
9 過疎《かそ》
10 絵馬《えま》
11 控訴《こうそ》
12 霧《きり》
13 締《し》(めて)
14 蛇《へび》
15 催《もよお》(す)
16 肝《きも》
17 弔《とむら》(い)
18 錦《にしき》
19 初詣《はつもうで》
20 橋桁《はしげた》
21 嗅《か》(嗅《か》)(がせる)
22 懲《こ》(りた)
23 添《そ》(うて)
24 濃《こ》(い)
25 陣《じん》

6「吉日《きちじつ》」は「きちにち」ともいう。

11「控訴《こうそ》」は、第一審の判決に不満がある場合、上級の裁判所に対して再審を申し立てること。

23「馬《うま》には乗《の》ってみよ。人《ひと》には添《そ》うてみよ」は、何事も自分で直接経験してみなければわからないのだから、やりもせずに批判したり評価したりすべきではないということ。

24「血《ち》は水《みず》よりも濃《こ》い」は、血のつながった者同士のきずなは、どれほど深い他人との関係よりも強いということ。

25「背水《はいすい》の陣《じん》」は川を背後にして構えた陣地。退けば川におぼれるため必死で戦わざるを得なくなる。

(一) 読み

グレーの部分は解答の補足です

各1点 計30点

1 しゅくせい
2 ゆし
3 やよい
4 はばつ
5 ついとう
6 かいそう
7 まっちゃ
8 じょしゃく
9 きそん
10 きかん
11 さくしゅ
12 おうへい
13 すいとう
14 はっと
15 れいげん れいけん

16 しょうにん
17 るろう
18 ひゆ
19 わいろ
20 じょうるり
21 うれ(い)
22 したた(り)
23 めざわ(り)
24 ふ(け)
25 いぶき
26 かく(れる)
27 うたい
28 ちぎ(り)
29 あいいろ
30 すなあらし

14「法度《はっと》」は武家時代に出された法令の禁止事項。問題文は単にしてはいけないことを意味する。

15「霊験《れいげん》あらたか」は神や仏に祈った際のご利益が著しいこと。

(二) 部首

グレーの部分は部首の名前です

各1点 計10点

1 至(いたる)
2 門(もんがまえ)
3 口(くちへん)
4 亻(にんべん)
5 一(いち)
6 大(だい)
7 殳(るまた ほこづくり)
8 乙(おつ)
9 頁(おおがい)
10 心(こころ)

(三) 熟語の構成

各2点 計20点

1 ウ
2 ア
3 オ
4 エ
5 イ
6 エ
7 イ
8 ウ
9 ウ
10 ア

若駒《わかごま》 若(い)➡駒(うま)
詔勅《しょうちょく》 どちらも「みことのり」の意。
無敵《むてき》 敵が無い。
遷都《せんと》 遷(うつす)⬆都(を)
賢愚《けんぐ》 賢(い)⬍愚(か)
献金《けんきん》 献(さしあげる)⬆金(を)
攻守《こうしゅ》 攻(める)⬍守(る)
苦衷《くちゅう》 苦(しい)➡衷(胸の内)
碁盤《ごばん》 碁(の)➡盤(平らな器)
愉悦《ゆえつ》 どちらも「よろこび楽しむ」の意。

(四) 四字熟語

グレーの部分は解答の補足です

問1

各2点/計20点

1 理非《りひ》(曲直《きょくちょく》)
2 (怒髪《どはつ》)衝天《しょうてん》
3 小心《しょうしん》(翼翼《よくよく》 翼々《よくよく》)
4 (明鏡《めいきょう》)止水《しすい》
5 堅忍《けんにん》(不抜《ふばつ》)
6 (荒唐《こうとう》)無稽《むけい》
7 片言《へんげん》(隻語《せきご》)
8 (霊魂《れいこん》)不滅《ふめつ》
9 悪事《あくじ》(千里《せんり》)
10 (怨親《おんしん》)平等《びょうどう》

1 理に合うことと、合わないこと。
2 髪の毛が逆立つほど、激しく怒るさま。
3 気が小さく、いつもびくびくしているさま。
4 よこしまな心がなく澄みきった心境。
5 何があっても心を動かさず、耐え忍ぶこと。
6 根拠がなく、現実味がないこと。
7 「片言」「隻語」とも、わずかな言葉、ちょっとした短い言葉の意。
8 肉体が滅びたあとも、魂は肉体を離れて存続するという考え方。
9 とかく悪い行いや評判は、すぐに広範囲に知れわたるということ。
10 うらみがある憎い者も、親しくしている者も平等に扱うこと。

問2

各2点/計10点

11 エ
12 ク
13 ア
14 イ
15 キ

問題は本冊P90~95

(五) 対義語・類義語

各2点 計20点

グレーの部分は問題の熟語です

1 辛勝《しんしょう》⇔惜敗《せきはい》
2 合致《がっち》⇔逸脱《いつだつ》
3 愚鈍《ぐどん》⇔俊敏《しゅんびん》
4 芳香《ほうこう》⇔悪臭《あくしゅう》
5 不足《ふそく》⇔余剰《よじょう》

6 工事《こうじ》＝普請《ふしん》
7 面倒《めんどう》＝厄介《やっかい》
8 停滞《ていたい》＝渋滞《じゅうたい》
9 誠実《せいじつ》＝真摯《しんし》
10 疎外《そがい》＝排斥《はいせき》

6「普請《ふしん》」は、家の建築や修理を行うこと。土木工事。

(六) 同音・同訓異字

各2点 計20点

グレーの部分は解答の補足です

1 清涼《せいりょう》
2 声量《せいりょう》
3 塁審《るいしん》
4 累進《るいしん》
5 落款《らっかん》
6 楽観《らっかん》

7 解体《かいたい》
8 拐帯《かいたい》
9 掃《は》(き)
10 履《は》(く)

8「拐帯《かいたい》」は、預かった金品を持ち逃げすること。

(七) 誤字訂正

各2点 計10点

グレーの部分は誤字・正字を含む熟語です

	〔誤〕		〔正〕
1	挟義	↓	狭義
2	隅像	↓	偶像
3	懲らした	↓	凝らした
4	史直	↓	司直
5	養植	↓	養殖

(八) 漢字と送りがな

各2点 計10点

1 恥《は》じらう
2 短《みじか》く
3 弔《とむら》っ
4 蓄《たくわ》え
5 珍《めずら》しい

(九) 書き取り

各2点 計50点

グレーの部分は解答の補足です

1 墜落《ついらく》
2 和尚《おしょう》
3 末期《まつご》
4 祝言《しゅうげん》
5 魅力《みりょく》
6 挑発《ちょうはつ》
7 余裕《よゆう》
8 遺憾《いかん》
9 壮健《そうけん》

10 昆虫《こんちゅう》
11 白夜《びゃくや》
12 喪中《もちゅう》
13 但《ただ》(し)
14 黙《だま》(って)
15 滅《ほろ》(びた)
16 餌《えさ》(餌《えさ》)
17 伺《うかが》(い)
18 狙《ねら》(い)

19 接《つ》(ぎ)
20 甚《はなは》(だ)
21 償《つぐな》(う)
22 駒《こま》
23 爪《つめ》
24 宵越《よいご》(し)
25 鉄砲《てっぽう》

11「白夜《びゃくや》」は、北極や南極を中心とする地域で、夏の間、太陽が沈まない現象のこと。「白夜」は「はくや」とも読む。

19「接《つ》ぎ木《き》」は、植物において、二つの木の切断面を接着させて、一つの木として育てること。

23「爪《つめ》に火《ひ》を点《とも》す」は、とてもけちであるということ。また、極端に倹約することのたとえ。

24「宵越《よいご》しの金《かね》は持《も》たぬ」は、金銭にこだわらない江戸っ子の気性を表すことば。

25「暗闇《くらやみ》の鉄砲《てっぽう》」は、あてずっぽうに行動することや、向こう見ずに物事を行うことのたとえ。

問題は本冊 P96~101

(一) 読み

各1点 計30点

グレーの部分は解答の補足です

1 きゅうだん
2 りしゅう
3 しっつい
4 せいやく
5 じゅか
6 ぎぜん
7 ゆうよ
8 がっぺい
9 ごばん
10 はんか
11 かんらく
12 しょうちゅう
13 ざんぱい
14 しせい
15 そうごん
16 おんど
17 ぼうしょく
18 ろくしょう
19 らち
20 ついかんばん
21 いた(む)
22 またた(く)
23 あま
24 すきや
25 つら
26 ふち
27 から(まって)
28 わ(き)
29 くし
30 さわ(やか)

10「頒価《はんか》」は、頒布する品物の値段のこと。頒布は品物などを広く配ること。
20「椎間板《ついかんばん》」は、背骨を構成する椎骨と椎骨の間にある軟骨のこと。
24「数寄屋《すきや》」は「数奇屋」とも書く。茶の湯を行う茶室のこと。

(二) 部首

各1点 計10点

グレーの部分は部首の名前です

1 心(こころ)
2 穴(あなかんむり)
3 干(かん いちじゅう)
4 王(おう)
5 巾(はば)
6 灬(れんが れっか)
7 虫(むし)
8 力(ちから)
9 亅(はねぼう)
10 亠(なべぶた けいさんかんむり)

(三) 熟語の構成

各2点 計20点

1 エ
2 ア
3 ウ
4 イ
5 ウ
6 イ
7 オ
8 ア
9 ウ
10 イ

収賄《しゅうわい》 収(める)↑賄(賄賂を)
詐欺《さぎ》 どちらも「あざむく」の意。
直訴《じきそ》 直(接)↓訴(える)
乾湿《かんしつ》 乾(く)⇔湿(る)
懇願《こんがん》 懇(ねんごろに)↓願(う)
雌雄《しゆう》 雌(めす)⇔雄(おす)
未納《みのう》 未(いま)だ納めず。
油脂《ゆし》 どちらも「あぶら」の意。
独酌《どくしゃく》 独(りで)↓酌(酒をくむ)
添削《てんさく》 添(くわえる)⇔削(る)

(四) 四字熟語

グレーの部分は解答の補足です

問1 各2点/計20点

1 抜山《ばつざん》(蓋世《がいせい》)
2 (比翼《ひよく》)連理《れんり》
3 百家《ひゃっか》(争鳴《そうめい》)
4 (弊衣《へいい》)破帽《はぼう》
5 氷消《ひょうしょう》(瓦解《がかい》)
6 (廃仏《はいぶつ》)毀釈《きしゃく》
7 神出《しんしゅつ》(鬼没《きぼつ》)
8 (不偏《ふへん》)不党《ふとう》
9 一陽《いちよう》(来復《らいふく》)
10 (奮励《ふんれい》)努力《どりょく》

威勢がとてもよいこと。また、気性が勇壮盛んなこと。
男女の情愛が深く、むつまじいことのたとえ。
多くの学者が自由に論争すること。
破れた衣服と穴のあいた帽子。見てくれに気を使わず粗野なさま。
氷が溶けてなくなってしまうように、跡形もなくなってしまうこと。
寺や仏像を破壊し、僧侶などの仏教関係者が受けていた特権を廃すること。
自由自在に出没し、居場所がわからないこと。
いずれにもくみせず中立な立場をとること。
冬が終わって春が来ること。悪いことが続いた後に、幸運に向かうこと。
気力を奮い起こし、一心につとめること。

問2 各2点/計10点

11 ク
12 キ
13 イ
14 エ
15 ケ

(五) 対義語・類義語

各2点 計20点

グレーの部分は問題の熟語です

1 緩慢《かんまん》⇔迅速《じんそく》
2 違反《いはん》⇔遵守《じゅんしゅ》
3 枝葉《しよう》⇔根茎《こんけい》
4 凝固《ぎょうこ》⇔融解《ゆうかい》
5 本筋《ほんすじ》⇔挿話《そうわ》
6 位階《いかい》＝勲等《くんとう》
7 隆盛《りゅうせい》＝勃興《ぼっこう》
8 封鎖《ふうさ》＝遮断《しゃだん》
9 明暗《めいあん》＝禍福《かふく》
10 基地《きち》＝拠点《きょてん》

7 「勃興《ぼっこう》」は、急に勢いを得て盛んになること。

(六) 同音・同訓異字

各2点 計20点

1 多寡《たか》
2 他科《たか》
3 渦中《かちゅう》
4 火中《かちゅう》
5 謁見《えっけん》
6 越権《えっけん》
7 体位《たいい》
8 大尉《たいい》
9 影《かげ》
10 陰《かげ》

1 「多寡《たか》」は、多いことと少ないこと。多少。
5 「謁見《えっけん》」は、身分の高い人と会うこと。

(七) 誤字訂正

各2点 計10点

グレーの部分は誤字・正字を含む熟語です

〔誤〕→〔正〕

1 対称的→対照的
2 坑生→抗生
3 節季→節気
4 般囲→範囲
5 肩垂→懸垂

(八) 漢字と送りがな

各2点 計10点

1 難《むずか》しい
2 滴《したた》り
3 踏《ふ》まえ
4 締《し》まる
5 逃《のが》さ

(九) 書き取り

各2点 計50点

グレーの部分は解答の補足です

1 厄年《やくどし》
2 捕虜《ほりょ》
3 探偵《たんてい》
4 醸造所《じょうぞうしょ》
5 皇帝《こうてい》
6 冬眠《とうみん》
7 徹夜《てつや》
8 捜査《そうさ》
9 頑固《がんこ》
10 万歳《ばんざい》
11 行脚《あんぎゃ》
12 芯《しん》
13 懲《こ》(らしめ)
14 慕《した》(う)
15 稲穂《いなほ》
16 泥《どろ》
17 薄《うす》(く)
18 緩《ゆる》(やか)
19 眺《なが》(める)
20 蹴《け》(る)
21 唾《つば》
22 捉《とら》(える)
23 錦《にしき》
24 触《さわ》(らぬ)
25 刺《さ》(す)

1 「厄年《やくどし》」は、よくないことが起こるとされる年齢のこと。
5 「皇帝《こうてい》」は、帝国の君主のこと。
6 「冬眠《とうみん》」は、ある種類の動物が、冬の間、土や穴の中に入って食物をとらず活動をやめること。
23 「故郷《こきょう》に錦《にしき》を飾《かざ》る」は、故郷を離れたものが、立身出世し故郷に帰ること。
24 「触《さわ》らぬ神《かみ》にたたり無《な》し」は、余計な手出しをしたり関わったりしなければ、わざわいを招くことはないということ。面倒なことに余計な手出しをするなといういましめ。
25 「寸鉄人《すんてつひと》を刺《さ》す」は、短く鋭いことばで相手の痛いところをつくたとえ。

問題は本冊P102〜107

(一) 読み

グレーの部分は解答の補足です

各1点 計30点

1 しゅんそく
2 しょこう
3 しょうえん
4 りょしゅう
5 ひじゅん
6 じきひ ちょくひ
7 いたべい
8 ひにょうき
9 じょせい
10 こうじゃく
11 がんぐ
12 しゅびょう
13 しこう
14 なんど
15 くり
16 らいはい れいはい
17 だみん
18 ちょうふ
19 できあい
20 しんせき
21 じゅず
22 ちご
23 つる
24 まぶか
25 こうごう(しい)
26 あざけ(る)
27 はか(る)
28 とつ(ぐ)
29 つまさき
30 むなぎ

6「直披《じきひ》」は「親展」と同じ意味。

15「庫裏《くり》」は寺の台所。広義では住職たちの居間をも含む。

16「礼拝」は仏教では「らいはい」、キリスト教・イスラム教では「れいはい」と読む。

21「数珠《じゅず》」は「珠数」とも書く。

(二) 部首

グレーの部分は部首の名前です

各1点 計10点

1 口(くち)
2 臼(うす)
3 日(ひ)
4 耒(すきへん らいすき)
5 行(ぎょうがまえ ゆきがまえ)
6 糸(いと)
7 羊(ひつじ)
8 酉(とりへん)
9 二(に)
10 甘(かん あまい)

(三) 熟語の構成

各2点 計20点

1 ウ
2 ウ
3 オ
4 イ
5 エ
6 ア
7 ア
8 イ
9 ウ
10 エ

銃弾《じゅうだん》 銃(の)↓弾
酪農《らくのう》 酪(乳製品を作る)↓農(業)
不浄《ふじょう》 浄(きよ)くない。
美醜《びしゅう》 美(しい)⇕醜(い)
消臭《しょうしゅう》 消(す)↑臭(気を)
叱責《しっせき》 どちらも「しかる」の意。
逝去《せいきょ》 どちらも「さる」の意。
矛盾《むじゅん》 矛(ほこ)⇕盾(たて)
墨汁《ぼくじゅう》 墨(の)↓汁
譲位《じょうい》 譲(る)↑位(を)

(四) 四字熟語

グレーの部分は解答の補足です

問1 各2点/計20点

1 泰山《たいざん》(北斗《ほくと》) その道の大家、第一人者の意。
2 (妖言《ようげん》)惑衆《わくしゅう》 あやしげなことを言って多数の人々を惑わせること。
3 一目《いちもく》(瞭然《りょうぜん》) 一目見ただけではっきりとわかるさま。
4 (唯我《ゆいが》)独尊《どくそん》 自分以上に偉い者はいないとうぬぼれること。
5 国士《こくし》(無双《むそう》) 国内で並ぶ者がないような傑出した人物。
6 (傍若《ぼうじゃく》)無人《ぶじん》 人前であるのに、近くに人がいないかのように勝手気ままに振る舞うこと。
7 誇大《こだい》(妄想《もうそう》) 自らの能力を過大評価したり、想像した内容を事実と思い込んだりすること。
8 (東奔《とうほん》)西走《せいそう》 あちらこちらに忙しく駆け回ること。
9 快刀《かいとう》(乱麻《らんま》) もつれた物事をあざやかに処理すること。「快刀、乱麻を断つ」の略。
10 (悠悠《ゆうゆう》)閑閑《かんかん》 ゆったりとしていて、あわてふためかないこと。

問2 各2点/計10点

11 オ
12 カ
13 キ
14 エ
15 ア

(五) 対義語・類義語

各2点 計20点

グレーの部分は問題の熟語です

1 取得《しゅとく》⇔喪失《そうしつ》
2 偏狭《へんきょう》⇔寛大《かんだい》
3 抑制《よくせい》⇔勧奨《かんしょう》
4 飽食《ほうしょく》⇔飢餓《きが》
5 偉大《いだい》⇔凡庸《ぼんよう》
6 終生《しゅうせい》＝生涯《しょうがい》
7 指揮《しき》＝采配《さいはい》
8 断言《だんげん》＝喝破《かっぱ》
9 朝見《ちょうけん》＝拝謁《はいえつ》
10 所持《しょじ》＝携帯《けいたい》

9「朝見《ちょうけん》」は、天皇に拝謁すること。天皇に関することばには「朝」がつくことが多い。

(六) 同音・同訓異字

各2点 計20点

グレーの部分は解答の補足です

1 遺憾《いかん》
2 移管《いかん》
3 欠陥《けっかん》
4 血管《けっかん》
5 扶養《ふよう》
6 浮揚《ふよう》
7 核心《かくしん》
8 確信《かくしん》
9 渇《かわ》（く）
10 乾《かわ》（く）

1「遺憾無《いかんな》く」は、ここでは完全に。十分にの意。

(七) 誤字訂正

各2点 計10点

グレーの部分は誤字・正字を含む熟語です

	〔誤〕		〔正〕
1	規募	→	規模
2	福施	→	福祉
3	俸仕	→	奉仕
4	恩謝	→	恩赦
5	慈味	→	滋味

(八) 漢字と送りがな

各2点 計10点

1 培《つちか》う
2 粘《ねば》る
3 被《こうむ》っ
4 煩《わずら》わしい
5 伴《ともな》う

(九) 書き取り

各2点 計50点

グレーの部分は解答の補足です

1 津津《しんしん》 津々《しんしん》
2 霜害《そうがい》
3 逐一《ちくいち》
4 進捗《しんちょく》
5 妨害《ぼうがい》
6 喫茶《きっさ》
7 搭乗《とうじょう》
8 窮地《きゅうち》
9 抄本《しょうほん》
10 栽培《さいばい》
11 逸脱《いつだつ》
12 賭《と》（賭《と》）博《ばく》
13 狂《くる》（った）
14 崩《くず》（れる）
15 髪《かみ》
16 含《ふく》（まれ）
17 拳《こぶし》
18 揺《ゆ》（れる）
19 汚《けが》（して）
20 藤棚《ふじだな》
21 誰《だれ》
22 諦《あきら》（めて）
23 藍《あい》
24 煮《に》（え）
25 先《さき》（んずれ）

8「窮地《きゅうち》」は、追われて逃げ場のない苦しい立ち場。

9「抄本《しょうほん》」は、原本となる種類の一部を抜き出したもの。

23「青《あお》は藍《あい》より出《い》でて藍《あい》より青《あお》し」は、藍色の原料である藍草で布を染めると、もとの藍草より鮮やかな色になることから、弟子が師匠よりも優れていることのたとえ。

24「煮《に》え湯《ゆ》を飲《の》まされる」は、信じていた人から裏切られ、ひどい目にあわされること。

25「先《さき》んずれば人《ひと》を制《せい》す」は、何事であっても人より先に行えば、人よりも有利な立場に立てるということ。

問題は本冊P108～113

(一) 読み

グレーの部分は解答の補足です

各1点 計30点

1 さんいつ
2 ぜっか
3 にゅうりょう
4 かっこ
5 じぎ
6 しっこく
7 ていかん
8 ていげん
9 やくび
10 せっしゅ
11 ふうばいか
12 あいとう
13 けんえき
14 しゅうわい
15 ふんぜん

16 すうじく
17 ゆせん
18 はんらん
19 はんよう
20 ほにゅうるい
21 あわ(せる)
22 いさぎよ(い)
23 ひい(でた)
24 ふ(けた)
25 みじ(め)
26 つる
27 こ(う)
28 すす(める)
29 きざ(し)
30 はち

2「舌禍《ぜっか》」は、自分の言ったことがもとになって起こるわざわい。

7「諦観《ていかん》」は、あきらめて超然とすること。

9「厄《やく》」は音読みなので、「厄日《やくび》・厄年《やくどし》」は重箱読み(二字熟語の上の字を音、下の字を訓で読む読み方)になる。

(二) 部首

グレーの部分は部首の名前です

各1点 計10点

1 寸(すん)
2 彡(さんづくり)
3 言(げん)
4 艹(くさかんむり)
5 立(たつへん)
6 田(た)
7 欠(あくび かける)
8 一(いち)
9 田(た)
10 大(だい)

(三) 熟語の構成

各2点 計20点

1 ウ
2 エ
3 オ
4 ウ
5 ウ
6 ア
7 イ
8 ア
9 イ
10 エ

仙境《せんきょう》 仙(人が住む)➡境(場所)
発泡《はっぽう》 発(する)⬆泡(を)
未詳《みしょう》 未(いま)だ詳(つまび)らかでない。
漸進《ぜんしん》 漸(次第に)➡進(む)
庶務《しょむ》 庶(さまざまの)➡務(事務)
更迭《こうてつ》 どちらも「かわる」の意。
衆寡《しゅうか》 衆(おおい)⬍寡(すくない)
羅列《られつ》 どちらも「つらなる」の意。
親疎《しんそ》 親(しい)⬍疎(む)
享楽《きょうらく》 享(うける)⬆楽(しみを)

(四) 四字熟語

グレーの部分は解答の補足です

問1 各2点／計20点

1 率先《そっせん》(垂範《すいはん》)
2 (教唆《きょうさ》)扇動《せんどう》
3 唯唯《いい》(諾諾《だくだく》)
4 (千載《せんざい》)一遇《いちぐう》
5 進取《しんしゅ》(果敢《かかん》)
6 (衣錦《いきん》)還郷《かんきょう》
7 羊質《ようしつ》(虎皮《こひ》)
8 (雲泥《うんでい》)万里《ばんり》
9 合従《がっしょう》(連衡《れんこう》)
10 (質実《しつじつ》)剛健《ごうけん》

人の先頭に立って模範を示すこと。

おしえそそのかして人の心をあおり、行動させること。

事の善悪に関係なく言いなりになること。

非常にまれな、またとない機会。

自ら物事に取り組み、決断力があるさま。

成功者となって故郷に帰ること。「**故郷に錦を飾る**」と同じような意。

外見だけは立派だが中身が伴わないこと。

非常に大きな差異のこと。

その時々の利害に応じて、協力したり離反したりすること。

飾り気がなくまじめで、心身が強く健康であること。

問2 各2点／計10点

11 ク
12 オ
13 イ
14 ウ
15 エ

（五）対義語・類義語

各2点 計20点

グレーの部分は問題の熟語です

1 反抗《はんこう》⇔忍従《にんじゅう》
2 国産《こくさん》⇔舶来《はくらい》
3 無能《むのう》⇔敏腕《びんわん》
4 緩慢《かんまん》⇔迅速《じんそく》
5 朝日《あさひ》⇔斜陽《しゃよう》
6 無欠《むけつ》＝完璧《かんぺき》
7 貧困《ひんこん》＝窮乏《きゅうぼう》
8 傾倒《けいとう》＝心酔《しんすい》
9 巡礼《じゅんれい》＝遍路《へんろ》
10 歓喜《かんき》＝愉悦《ゆえつ》

8「心酔《しんすい》」は、ある物事に心を奪われること。ある人を深く尊敬し、慕うこと。

（六）同音・同訓異字

各2点 計20点

グレーの部分は解答の補足です

1 付《ふ》（附《ふ》）加《か》
2 賦《ふ》課《か》
3 謙《けん》虚《きょ》
4 検《けん》挙《きょ》
5 主《しゅ》宰《さい》
6 主《しゅ》催《さい》
7 折《せっ》衝《しょう》
8 摂《せっ》政《しょう》
9 尋《たず》（ねる）
10 訪《たず》（ねる）

7「折衝《せっしょう》」は、問題を有利に解決するために、かけひきをすること。

（七）誤字訂正

各2点 計10点

グレーの部分は誤字・正字を含む熟語です

	〔誤〕		〔正〕
1	句養	→	供養
2	自立	→	自律
3	興廃	→	荒廃
4	銘題	→	命題
5	中賢	→	中堅

（八）漢字と送りがな

各2点 計10点

1 甚《はなは》だしい
2 潜《もぐ》っ
3 愚《おろ》かしい
4 挟《はさ》まれ
5 償《つぐな》う

（九）書き取り

各2点 計50点

グレーの部分は解答の補足です

1 楽譜《がくふ》
2 褒美《ほうび》
3 花壇《かだん》
4 睡眠《すいみん》
5 脚韻《きゃくいん》
6 薫陶《くんとう》
7 凡例《はんれい》
8 禍根《かこん》
9 別荘《べっそう》
10 伐採《ばっさい》
11 軽蔑《けいべつ》
12 伴侶《はんりょ》
13 企《くわだ》（てる）
14 巧《たく》（み）
15 挿《さ》（す）
16 肌《はだ》身《み》
17 擦《す》（り）
18 請《こ》（うた）
19 貫《つらぬ》（き）
20 枕《まくら》
21 箸《はし》（箸《はし》）
22 崖《がけ》
23 傍《かたわ》（ら）
24 貝殻《かいがら》
25 氏神《うじがみ》

5「脚韻《きゃくいん》」は句の終わりに踏む韻。

8「禍根《かこん》を残す」は、将来わざわいを起こす原因となるものを残すこと。

23「傍《かたわ》らに人無《ひとな》きがごとし」は、周囲に誰も人がいないようにわがままに振る舞うようすのこと。「傍若無人」ともいう。

24「貝殻《かいがら》で海《うみ》を量《はか》る」は、小さな貝殻《かいがら》で大海の容量を測ろうとすることから、自分の狭い見識で大きな問題を判断することのたとえ。また不可能なことのたとえ。

25「挨拶《あいさつ》は時《とき》の氏神《うじがみ》」は、けんかや争いごとの仲裁をしてくれる人は、その場に氏神《うじがみ》様が出現したように有り難いものだという意味。この場合の「挨拶」は仲裁を意味する。

(一) 読み

グレーの部分は解答の補足です

各1点 計30点

1 あいさつ
2 もうどう
3 ばいしゃく
4 ようへん
5 いちぐう
6 ほんそう
7 ひんぱつ
8 へいでん
9 じゅにい
10 むほん
11 かんか
12 きょうじゅ
13 そっこう
14 こくじ
15 とうすい

16 かぶん
17 せんがく
18 ぼんよう
19 ようぼう
20 せんりつ
21 おか(して)
22 うと(んじ)
23 かか(えて)
24 わずら(って)
25 いまし(めて)
26 わず(か)
27 ほおぶくろ
28 みつ
29 よし
30 こ(もって)

4「窯変《ようへん》」は、陶磁器を窯の中で焼く際に、火炎の性質などで予期しない色や文様になったり変形したりすること。

9「従《じゅ》」は同じ位でも「正《しょう》」より劣る。

15「統帥《とうすい》」は、軍を統率して指揮すること。

(二) 部首

グレーの部分は部首の名前です

各1点 計10点

1 戸(とだれ とかんむり)
2 宀(うかんむり)
3 幺(よう いとがしら)
4 十(じゅう)
5 廾(こまぬき にじゅうあし)
6 女(おんな)
7 工(たえ たくみ)
8 羊(ひつじ)
9 旡(なし ぶ すでのつくり)
10 口(くちへん)

(三) 熟語の構成

各2点 計20点

1 イ
2 ア
3 エ
4 ア
5 ウ
6 エ
7 ウ
8 ウ
9 オ
10 イ

真偽《しんぎ》 真(実)⇔偽(り)
明瞭《めいりょう》 どちらも「あきらか」の意。
懐古《かいこ》 懐(かしむ)←古(いことを)
霊魂《れいこん》 どちらも「たましい」の意。
聴衆《ちょうしゅう》 聴(く)→衆(多くの人)
遭難《そうなん》 遭(う)←災(難に)
怪談《かいだん》 怪(あやしい)→談(はなし)
帆船《はんせん》 帆(をかけた)→船
非常《ひじょう》 常に非(あら)ず。
抑揚《よくよう》 抑(える)⇔揚(げる)

(四) 四字熟語

グレーの部分は解答の補足です

問1 各2点/計20点

1 読書《どくしょ》(百遍《ひゃっぺん》)
2 (栄枯《えいこ》)盛衰《せいすい》
3 群雄《ぐんゆう》(割拠《かっきょ》)
4 (大喝《だいかつ》)一声《いっせい》
5 生生《せいせい》(流転《るてん》)
6 (気宇《きう》)壮大《そうだい》
7 自家《じか》(薬籠《やくろう》)
8 (温厚《おんこう》)篤実《とくじつ》
9 縦横《じゅうおう》(無尽《むじん》)
10 (熟読《じゅくどく》)玩味《がんみ》

難解な書物でも繰り返し読めば、意味が自然にわかってくるということ。

人や家などが栄えることと衰えること。人の世のはかなさをいう。

多くの英雄が各地に乱立し、天下を争うこと。

大きな声で叱りつけること。また、その声。「大声一喝」ともいう。

万物は絶えず生まれては変化し、移り変わっていくこと。

心構えや度量が非常に大きいさま。

いつなんどきでも役に立つもの。自分の手中にあるものや人物のこと。

人柄が穏やかでやさしく、誠実で親切なこと。

自由自在、思う存分に物事を行うさま。

文章をよく読み、内容をじっくり考え味わうこと。

問2 各2点/計10点

11 カ
12 エ
13 ク
14 ケ
15 オ

問題は本冊 P114~119

(五) 対義語・類義語

各2点 計20点

グレーの部分は問題の熟語です

1 末端《まったん》⇔中枢《ちゅうすう》
2 記憶《きおく》⇔忘却《ぼうきゃく》
3 凡人《ぼんじん》⇔逸材《いつざい》
4 決裂《けつれつ》⇔妥結《だけつ》
5 美麗《びれい》⇔醜悪《しゅうあく》
6 確保《かくほ》＝把持《はじ》
7 解職《かいしょく》＝罷免《ひめん》
8 同等《どうとう》＝匹敵《ひってき》
9 手柄《てがら》＝殊勲《しゅくん》
10 法師《ほうし》＝僧侶《そうりょ》

9「殊勲《しゅくん》」は、特にすぐれた功績。立派に仕事を成し遂げた名誉。

(六) 同音・同訓異字

各2点 計20点

グレーの部分は解答の補足です

1 献上《けんじょう》
2 堅城《けんじょう》
3 水仙《すいせん》
4 推薦《すいせん》
5 不肖《ふしょう》
6 不祥《ふしょう》
7 渓谷《けいこく》
8 傾国《けいこく》
9 触《ざわ》（り）
10 障《ざわ》（り）

8「傾国《けいこく》の美女《びじょ》」は、国の存立を危うくするような美女のこと。

(七) 誤字訂正

各2点 計10点

グレーの部分は誤字・正字を含む熟語です

〔誤〕→〔正〕
1 拡重 → 拡充
2 好例 → 恒例
3 偉伝 → 遺伝
4 同邦 → 同胞
5 非難 → 避難

(八) 漢字と送りがな

各2点 計10点

1 顧《かえり》みる
2 携《たずさ》え
3 懲《こ》らしめる
4 陥《おちい》っ
5 懐《なつ》かしく

(九) 書き取り

各2点 計50点

グレーの部分は解答の補足です

1 検索《けんさく》
2 症状《しょうじょう》
3 桟《さん》
4 緑青《ろくしょう》
5 風情《ふぜい》
6 披露宴《ひろうえん》
7 亡者《もうじゃ》
8 古墳《こふん》
9 消耗《しょうもう》
10 企画《きかく》
11 信仰《しんこう》
12 斉唱《せいしょう》
13 藻《も》
14 繭《まゆ》
15 鐘《かね》
16 焦《あせ》（って）
17 施《ほどこ》（し）
18 柿《かき》
19 竹串《たけぐし》
20 頃《ころ》
21 拭《ふ》（き）
22 牙《きば》（牙《きば》）
23 地獄《じごく》
24 柳《やなぎ》
25 憂《うれ》（い）

4「緑青《ろくしょう》」は、銅が酸化することで作られるサビのこと。

23「地獄《じごく》で仏《ほとけ》にあったよう」は、非常に危険なときや困っているときに、思いがけない助けにであったうれしさのたとえ。

24「柳《やなぎ》に雪折《ゆきお》れなし」は、柳の枝はよくしなって降り積んだ雪を払い落としてしまうことから、柔軟なほうが厳しい試練にたえやすいことのたとえ。

25「楽《たの》しみを以《もっ》て憂《うれ》いを忘《わす》れる」は、孔子が自分の性質について語った言葉。『論語』にある。「うれい」は「愁い」という書き方もある。

問題は本冊P120～125

（一）読み

各1点 計30点

グレーの部分は解答の補足です

1 てっしょう
2 びんづめ
3 しゅっすい
4 しゅうどうに
5 せきべつ
6 じゅんたく
7 そうしょう
8 かんしょう
9 はくちゅう
10 かいき
11 きろ
12 ろうでん
13 いれい
14 すうせき
15 さんだい
16 ちつじょ
17 かんかつ
18 ふろ
19 たいせき
20 みぞう
21 つい（える）
22 ひあし
23 あらわ（す）
24 くつがえ（す）
25 よ（る）
26 ほりばた
27 さと（す）
28 こもりうた
29 ふた
30 つぶ（して）

1「徹宵《てっしょう》」は、夜通し。徹夜。
3「出穂《しゅっすい》」は、覚えておくべき読み方のひとつ。
15「内」を「だい」と読むのは常用漢字の特別な読み方。昔、皇居を中心とした建物群を「内裏《だいり》」と称した。

（二）部首

各1点 計10点

グレーの部分は部首の名前です

1 口（くち）
2 大（だい）
3 小（したごころ）
4 斗（とます）
5 貝（かい こがい）
6 糸（いと）
7 匸（かくしがまえ）
8 卩（わりふ ふしづくり）
9 旡（なし ぶ すでのつくり）
10 月（つきへん）

（三）熟語の構成

各2点 計20点

1 エ
2 イ
3 ア
4 イ
5 ウ
6 エ
7 ウ
8 ウ
9 オ
10 ア

免疫《めんえき》 免（れる）↑疫（病原菌、毒素を）
緩急《かんきゅう》 緩（やか）⇕急
萎縮《いしゅく》 どちらも「ちぢまる」の意。
繁閑《はんかん》 繁（忙）⇕閑（ひま）
湿原《しつげん》 湿（った）↓原（っぱ）
炊飯《すいはん》 炊（く）↑飯（を）
空欄《くうらん》 空（いた）↓欄
洗剤《せんざい》 洗（うための）↓剤（調合した薬）
不妊《ふにん》 妊（みごもる）ことがない。
駐留《ちゅうりゅう》 どちらも「とどまる」の意。

（四）四字熟語

グレーの部分は解答の補足です

問1 各2点／計20点

1 金城《きんじょう》（鉄壁《てっぺき》）
2 （一期《いちご》）一会《いちえ》
3 拍手《はくしゅ》（喝采《かっさい》）
4 （美辞《びじ》）麗句《れいく》
5 佳人《かじん》（薄命《はくめい》）
6 （一汁《いちじゅう》）一菜《いっさい》
7 天衣《てんい》（無縫《むほう》）
8 （玩物《がんぶつ》）喪志《そうし》
9 粒粒《りゅうりゅう》（辛苦《しんく》）
10 （普遍《ふへん》）妥当《だとう》

非常に堅固で、つけこむすきがないことのたとえ。

一生に一度会うこと。また、一度しか会う機会がないような不思議な縁。

大いに手をたたき、大声でほめること。

美しく飾った言葉。うわべだけ飾った、内容に乏しく真実味の無い言葉。

美人は短命であったり、運命にもてあそばれ不幸になったりするということ。

汁物一品と、おかず一品。質素な食事のたとえ。

技巧などがなく自然なさま。人柄に飾り気が無く純真で無邪気なさま。

無用なものに心を奪われて、本来の志を見失ってしまうこと。

こつこつと地道に努力や苦労を重ねること。

どのような条件下でも同様に当てはまること。

問2 各2点／計10点

11 ク
12 カ
13 コ
14 ケ
15 キ

(五) 対義語・類義語

各2点 計20点

グレーの部分は問題の熟語です

1 小心《しょうしん》⇔剛胆《ごうたん》・豪胆《ごうたん》
2 性急《せいきゅう》⇔悠長《ゆうちょう》
3 不眠《ふみん》⇔熟睡《じゅくすい》
4 極端《きょくたん》⇔中庸《ちゅうよう》
5 惑星《わくせい》⇔恒星《こうせい》
6 安値《やすね》＝廉価《れんか》
7 栄養《えいよう》＝滋養《じよう》
8 縁者《えんじゃ》＝親戚《しんせき》
9 分配《ぶんぱい》＝頒布《はんぷ》
10 湯船《ゆぶね》＝浴槽《よくそう》

4「中庸《ちゅうよう》」は、考え方などが偏らず、極端でないこと。中正であること。

(六) 同音・同訓異字

各2点 計20点

1 診療《しんりょう》
2 新涼《しんりょう》
3 誘拐《ゆうかい》
4 融解《ゆうかい》
5 薄幸《はっこう》
6 発効《はっこう》
7 追悼《ついとう》
8 追討《ついとう》
9 旨《むね》
10 棟《むね》

2「新涼《しんりょう》の候《こう》」は、ようやく涼しくなってきた初秋の頃をいう。

(七) 誤字訂正

各2点 計10点

グレーの部分は誤字・正字を含む熟語です

	〔誤〕		〔正〕
1	推維	↓	推移
2	高揺感	↓	高揚感
3	解顧	↓	解雇
4	静去	↓	逝去
5	短策	↓	短冊

(八) 漢字と送りがな

各2点 計10点

1 醜《みにく》い
2 忍《しの》ばせ
3 偏《かたよ》ら
4 憤《いきどお》る
5 但《ただ》し

(九) 書き取り

各2点 計50点

グレーの部分は解答の補足です

1 撤収《てっしゅう》
2 如実《にょじつ》
3 分析《ぶんせき》
4 侮辱《ぶじょく》
5 権化《ごんげ》
6 匿名《とくめい》
7 双生児《そうせいじ》
8 栽培《さいばい》
9 登竜門《とうりゅうもん》
10 均衡《きんこう》
11 弔慰《ちょうい》
12 叔父《おじ》
13 沸《わ》(かす)
14 蛍《ほたる》
15 穏《おだ》(やか)
16 子豚《こぶた》
17 倣《なら》(って)
18 丼《どんぶり》
19 瞳《ひとみ》
20 妬《ねた》(まれ)
21 暗闇《くらやみ》
22 麓《ふもと》
23 一泡《ひとあわ》
24 太鼓《たいこ》
25 末期《まつご》

11「弔慰《ちょうい》」は、死者を弔って遺族を慰めること。

12 父母の兄ならば「伯父《おじ》」と書く。

23「敵《てき》に一泡吹《ひとあわふ》かせる」は、相手の予想外のことをしたり思いがけないことをしたりして、驚き慌てさせること。

24「太鼓判《たいこばん》を押《お》す」は、その人物やものなどを確実であると保証すること。

25「末期《まつご》の水《みず》を取《と》る」は、亡くなった人物に対して、家族が水を口に含ませること。「末期」はその人の一生が終わるときのことをいう。「最期」ともいうが、一般的な「最後」と書かないように注意。

MEMO

MEMO

矢印方向に引くと別冊の解答・解説が外れます。▶